Tierra Firme

Biblioteca Matilde Asensi
Bestseller

Biografía

Matilde Asensi es una narradora de historias con más de veinte millones de lectores en todo el mundo. En 1999 publicó su primera novela, *El Salón de Ámbar*, y en el año 2000, con *Iacobus*, empezó a conquistar un territorio de lectores que hasta entonces copaban sólo algunos grandes escritores extranjeros. Fue con su tercera novela, *El último Catón* (2001), cuando llegó el gran éxito internacional que le acompaña desde entonces. Luego aparecieron *El origen perdido* (2003), en el cual Asensi combina hábilmente los secretos de la historia de la Humanidad con los *hackers* informáticos, y *Todo bajo el Cielo* (2006), donde lleva a sus lectores a la China del Gran Emperador. Sus últimas novelas, *Tierra Firme*, *Venganza en Sevilla* y *La conjura de Cortés*, conforman la exitosa trilogía *Martín Ojo de Plata*, que cuenta con más de un millón de lectores. Dicha trilogía ha sido publicada recientemente en un único volumen, *Trilogía Martín Ojo de Plata*, con un nuevo prólogo de la autora y un impresionante material inédito. Las novelas de Matilde Asensi han sido traducidas a quince idiomas.

Si quieres más información sobre Matilde Asensi y toda su obra, explora y disfruta en:

www.matildeasensi.net
www.youtube.com/user/CanalMatildeAsensi
www.facebook.com/MatildeAsensi
www.twitter.com/@matildeasensi

Matilde Asensi

Tierra Firme

La gran saga del
Siglo de Oro español I

Planeta

El papel utilizado para la impresión de este libro es cien por cien libre de cloro y está calificado como **papel ecológico**.

Esta edición dispone de recursos pedagógicos en www.planetalector.com

Avinguda Diagonal, 662, 6.ª planta. 08034 Barcelona (España)
www.planetadelibros.com

Ilustración de la cubierta: Opalworks
Fotografía de la autora: © Miguel Perdiguero Gil, 2007
Primera edición en esta presentación en Colección Booket: septiembre de 2011
Segunda impresión: enero de 2012
Tercera impresión: mayo de 2012
Cuarta impresión: agosto de 2012
Quinta impresión: enero de 2013
Sexta impresión: enero de 2015

Depósito legal: B. 985-2012
ISBN: 978-84-08-10084-3
Impresión y encuadernación: CPI (Barcelona)
Printed in Spain - Impreso en España

CAPÍTULO I

Martín, mi hermano menor, murió luchando bravamente contra los piratas ingleses que, tras cañonear nuestra galera durante buena parte de la noche, al alba, echaron garfios por la borda y nos atrajeron hacia su flanco de estribor para robarnos todas las mercaderías que nuestro bajel portaba desde los mercados de Sevilla hasta las colonias de Tierra Firme,[1] en el Nuevo Mundo. Mi pobre hermano sólo tenía catorce años, pero sabía manejar la espada mejor que muchos hidalgos y muchos soldados del rey porque nuestro señor padre, uno de los más afamados artesanos espaderos de Toledo, había sido su maestro y le había enseñado el arte correctamente y como era menester. Por desgracia, con los mismos ojos que miran hoy estas letras mientras las escribo, vi cómo aquel maldito inglés le asestaba en la cabeza un golpe mortal con una maza de hierro que dio con sus sesos en el suelo.

Los piratas nos habían estado siguiendo desde el ocaso igual que perros hambrientos a la espera de los restos

1. Nombre por el que se conocía a la zona del continente sudamericano más próximo al mar Caribe.

de un festín. Sin embargo, aunque nuestra galera formaba parte de la gran flota anual conocida como Los Galeones, la que tenía por destino Cartagena de Indias, ninguna de las naos militares —la capitana y la almiranta más otros cinco barcos de guerra, artillados para la defensa de los bajeles mercantes—, ninguna, digo, acudió en nuestro auxilio, desconociendo yo entonces la razón por la cual el general Sancho Pardo, al mando de la flota, nos abandonaba a nuestra suerte de aquella manera tan vil. Como nuestro mercante era viejo y llevaba las bodegas colmadas, navegaba muy despacio y así, los perros del mar nos dieron caza cuando consideraron más provechoso y buenamente se les antojó.

Éramos pocas las mujeres que viajábamos a bordo de aquel mercante. Cinco o seis a lo sumo, y todas permanecíamos escondidas en una de las bodegas de carga, tras fardos, toneles y bultos de mercaderías, muertas de miedo y llenas de angustia por el futuro. Al rato de iniciado el asalto, en pleno fragor de la lucha y escuchando desde lejos los disparos de los arcabuces, el ama Dorotea, con grave peligro para nuestras vidas, tironeó de mí hasta llevarme a donde dormía el pasaje y, echando el lienzo que separaba nuestros coyes, me dijo:

—¡Vamos, vístete con las ropas de tu hermano!

Yo, aturullada por el peligro y el ruido, me quité la toca y eché mano de una saya de paño que había sobre un baúl.

—¡Con tus ropas no, Catalina! —me gritó el ama, arrancándome la prenda.

Dorotea era de pocas luces y menos entendimiento pero el peligro despierta las molleras más duras y así, en lo que canta un gallo, el ama me mudó de dueña en mozo con una camisa, un jubón de gamuza, una casaca de cuero y unos calzones y, en la cabeza, recogiéndome el largo y lacio cabello negro, me encajó el sombrero que mi hermano se había comprado en el Alcaná de Toledo para el día de mi boda, un chambergo rojo de alas muy anchas y bella presilla. Tal era el celo con que la buena y dulce ama miraba por mi honor y mi honra.

—Ponte las botas —me apremió, mientras me colgaba del cuello el canuto de hojalata con mis documentos. El entrechocar de los aceros y los gritos de los hombres se oían cada vez más cerca, bajo la segunda cubierta. El ama, con el rosario en la mano, no paraba de rezar y de santiguarse.

Me senté en una de las cajas y me calcé las botas de ante de Martín, al que había perdido de vista cuando el maestre ordenó que todos los hombres se aprestaran a defender la nave con sus armas. Por fortuna, los pies de mi hermano sólo eran un poco más grandes que los míos y, como yo era bastante alta para ser mujer, todo lo suyo me servía.

—Y, ahora, vamos —me urgió Dorotea, ajustándome hábilmente un tahalí en cuya vaina había enfundado una de las tres buenas espadas roperas hechas por mi señor padre, espadas que llevábamos como presentes para mi desconocido esposo, mi suegro y mi señor tío Hernando.

—¡Quiero también una daga! —exclamé, sofrenándola.

—¿Y qué más desea vuestra merced...? ¿Un arcabuz? —se desesperó.

—No me importaría —afirmé, resuelta. Puede que el hábito no haga al monje pero a mí las ropas de mi hermano me estaban cambiando. Durante mis dieciséis años de vida no había dejado de escuchar cuáles eran mis obligaciones como mujer y cómo debía comportarme para conseguir un buen marido. Y, la verdad, ya estaba harta—. Quiero una daga para la mano izquierda.

—¡Coja la dama su daga y vayámonos en buena hora! ¡El Señor Jesucristo nos asista en esta desgracia! ¿Es que no ves que corremos un gran peligro?

Dorotea, agarrándome por el brazo, echó a correr hacia la popa de la nave entre los avíos y bastimentos que en gran cantidad sitiaban las camas del pasaje. No sabía hacia dónde se dirigía ni qué pretendía, pero no puse objeciones porque, de momento, todo estaba resultando muy divertido. ¿Ingleses a mí...? Que me los dejaran todos, pensé tentando mi espada, que allí estaba yo, Catalina Solís, natural de Toledo, hija huérfana y legítima de Pedro Solís y Jerónima Pascual y, desventuradamente, esposa reciente por poderes de un tal Domingo Rodríguez, hijo de Pedro Rodríguez, socio de mi señor tío Hernando en el establecimiento de latonería que ambos poseían en una isla del Caribe llamada Margarita.

Usando la primera escalerilla que encontramos en el camino ascendimos directamente hasta la tolda y, justo cuando alcanzábamos el mamparo de la cámara del maestre, vi al maldito pirata inglés romper en mil pedazos la cabeza de mi hermano. Me quedé petrificada. La absurda diversión del momento había desaparecido. Pareciome que yo quedaba tan muerta y destrozada como mi pobre Martín. Botas inglesas y españolas pisoteaban los restos de su sangre, cabellos y sesos sobre la cubierta principal pero, para alejarme del horror, la mano de Dorotea tiró de mí con mayor fuerza.

—¡Vamos, vamos! —me rogó, temblando y llorando. La seguí por abandono, pues a fe que el mundo se había detenido.

Mis recuerdos son, a partir de ese momento, muy vagos. Entramos en la cámara y Dorotea rompió los cristales de las portas para tirar por la popa el pequeño escritorio del maestre. Sin duda, conservaba su fuerza de antigua moza labradora. Luego, me hizo el signo de la cruz en la frente, me dio un beso y me dijo algo que no entendí antes de obligarme a saltar desde allá arriba hasta las aguas frescas y azules del océano. El sol estaba saliendo por el este y ya apuntaba el fuerte calor que, en aquellos perdidos lugares del mundo, no daba descanso alguno ni a humanos ni a bestias.

Yo, entonces, no sabía nadar, así que, cuando mi cuerpo se hundió profundamente en el mar por la fuerza de la caída, tuve para mí que iba a morir ahogada. Sin embargo, el propio impulso del agua me botó de nuevo hacia arriba, hacia el aire, del que tomé una gran bocanada mientras que, por instinto, mis pies y mis brazos hacían todo lo posible por mantenerme erguida. Las armas pesaban, las ropas asfixiaban, el chambergo rojo flotaba a mi lado y, un poco más allá, la mesa del maestre, con las patas hacia arriba, bogaba con tranquilidad sobre el oleaje. Dorotea gritaba, intentaba indicarme algo pero, entre la distancia, el ruido de la batalla y mis continuas y angustiosas zambullidas en aquella agua salada, no estaba yo para entender lo que me decía. Juraría que vi una mano que la cogió por el pelo y la cofia, haciéndola desaparecer en el interior de la cámara. El caso fue que el ama ya no tornó a salir y yo, desventurada de mí, entre brazadas, inmersiones y tragos de agua, alcancé a duras penas la mesa de madera.

La corriente me alejó de los dos navíos con bastante presteza, aunque no con tanta como para que no me diera tiempo a ver el humo negro que se elevó en el cielo cuando los piratas prendieron fuego a nuestra nave. La triste imagen no duró en exceso. Pronto me encontré rodeada por el ondulante y vacío océano, y sola como no lo había estado antes en toda mi vida, agarrada a aquella mesa y hundida en un silencio estremecedor. Las lágrimas me resbalaban por las mejillas. Por fortuna, había rescatado el chambergo rojo pues el sol abrasador de aquellas latitudes me hubiera frito el cerebro a no mucho tardar. Recordé también que esas aguas estaban infestadas de animales marinos de gran tamaño que gustaban de nadar en los costados del barco, así que, haciendo muchos esfuerzos e intentando no volcar mi pobre bajel de cuatro patas, conseguí subir el cuerpo y acurrucarme entera sobre la tabla. Tres días y sus noches pasé en aquella situación, arrastrada hacia ninguna parte por las olas y las corrientes. La garganta me ardía de sed y me dolían los ojos, quemados por la sal y los reflejos del sol. Los labios me sangraban y se me hicieron costras. A ratos dormitaba y a ratos me desesperaba por mi mala ventura, llegando al punto de preguntarme si no debería, acaso, rezar alguna de aquellas oraciones que el ama Dorotea nos había enseñado a escondidas a Martín y a mí cuando éramos pequeños. Pero me resistía, no quería deshonrar de ese modo la memoria de mi padre, haciendo aquello que él tanto despreciaba. Hoy me siento orgullosa de afirmar que fui fuerte, que desafié al miedo y que me preparé para bien morir tal y como me habían enseñado: con paz y resignación, sin beaterías.

Y, entonces, mientras cabeceaba en uno de esos ligeros sopores nocturnos llenos de malos sueños, la mesa chocó suavemente contra algo y viró sobre sí misma. Me espabilé de golpe. Era de noche, sí, pero había suficiente luz de luna como para distinguir algunas cosas. Una sombra negra gigantesca se dibujaba contra el cielo y se oía un manso batir de olas contra la costa. ¡Tierra! Intenté deslizarme con cuidado dentro del agua, dispuesta a impulsar mi embarcación hasta aquella mole, cuando reparé en que el fondo estaba a menos de un palmo de la superficie. Sorprendida, me puse en pie y avancé chapoteando hasta la orilla. Era una playa, una playa de arena muy fina y casi tan blanca como la nieve. Arrastré mi esforzada lancha fuera del mar y me derrumbé, más muerta que viva, con el agotamiento de tres días de incertidumbres, miedos y vigilias.

Una sed terrible me despertó. Miré alrededor, cegada por el sol, y no vi por ninguna parte agua con que calmarla sino sólo arena blanca y, más allá, la cercana cumbre que había divisado la noche anterior. Me levanté con mil quebrantos y, soltando ayes y suspiros y ahuyentando a los fieros mosquitos que picaban como diablos, hice todo lo posible por enderezar el cuerpo y por quitarme el jubón y la casaca, que me estorbaban mucho con aquellos calores. Con todo el cuerpo tembloroso, conseguí avanzar paso a paso hacia los árboles que cubrían aquella colina pues, habiendo árboles, me dije, tendría que haber también agua. Y, así, entré en un espeso bosque de extrañas plantas en el que se escuchaba sin cesar el canto de mil pájaros distintos. Caminé o, por mejor decir, me arrastré hacia arriba durante mucho tiempo, apartando con las manos el ramaje que me entorpecía el paso y me arañaba el rostro. Tanta vegetación debía de nutrirse con buenas lluvias, me dije, y éstas debían de recogerse de manera natural en algún charco. Al cabo, quiso mi buena ventura que diese con un espléndido pozo —un hoyo en el suelo cuya profundidad, a la vista, no podía medirse—, lleno de un líquido limpio y transparente sobre el que me eché con una sed de tres días. Más de media azumbre[2] me bebí de un trago y sin abrir los ojos. ¡Qué rica me supo aquella agua, qué fresca! ¡Y qué bien me sentaba la sombra del bosque! La vida regresaba a mí y sólo necesitaba comer para volver a sentirme la misma de siempre, mas, en cuanto pensé en la comida, mi cuerpo se descompuso. El agua que había bebido con tanta avidez o el fuerte sol de los tres días en el océano me hizo perder el sentido en medio de escalofríos y jadeos. Se me figuró que veía a mi hermano y a mis padres y me consoló mucho reunirme con ellos.

Cuando desperté, bañada en un sudor copiosísimo y tan helada como la muerte, el día estaba terminando. Me sacudía mientras desandaba el camino hacia la playa buscando el calor de la arena. ¡Sólo yo sé lo que me costó aquel paseo! Debía de estar muy enferma, pensaba, y en aquel lugar no se veía a nadie a quien pedir ayuda. Quizá existiera un pueblo al otro lado de la montaña, o en algún extremo de la playa, pero no tenía ni fuerzas ni

2. Medida antigua para líquidos. Una azumbre se corresponde con un poco más de dos litros.

aliento para caminar hasta allí en busca de auxilio. Volví a prepararme para la muerte mientras me dejaba abrazar por las cálidas y blancas arenas de aquella playa solitaria.

Tardé dos días en recuperarme de las extrañas fiebres que me mantuvieron postrada, con mala traza y peor talante, en la costa más despoblada del mundo. Ni un alma se me acercó durante aquel tiempo, nadie a quien solicitar cuidados, ni siquiera un solitario pescador o una moza pastora. Como espíritu en pena caminaba hacia el pozo cuando la sed me dominaba y regresaba cerca del mar cuando el frío me atería. Y, así, cambiando sol por sombra, frío por calor, di por fin en restablecerme, aunque con una debilidad atroz que no sabía si era producto de la enfermedad o del hambre.

Cuando volví a ser dueña de mi voluntad y de mi entendimiento, juzgué que debía procurarme comida con urgencia si quería recuperar las fuerzas necesarias para salir en busca del pueblo más próximo. En el tiempo que llevaba allí no había visto nada que pudiera considerarse alimento pero, para sosegar el ánimo, me dije que, por poco que fuera, algo debía de haber, así que me puse a buscar frutas o algo semejante y, al no hallarlo tras una prolongada exploración, me resigné a la idea de fabricar una caña de pescar como las que había visto usar en Toledo. Entré y caminé en el agua por ver si flotaba en las cercanías algún palo o madero y descubrí que aquel mar estaba lleno de peces. La boca se me hizo agua e intenté coger algunos con la mano, a la desesperada, pero no tuve suerte y estaba demasiado débil para bregar con aquellas bestezuelas. No vi palo alguno, ni vara, ni tablón que me sirviera. Al contrario que las aguas del río Tajo o las del Guadalquivir, en Sevilla, las de aquel mar estaban completamente limpias de basuras y desperdicios, cosa que lamenté por el perjuicio que me causaba en ese momento. Avancé por la costa y, de allí a poco, para mi contento, encontré unas rocas en las que había peces atrapados en pequeños agujeros llenos de agua. O las mareas o el oleaje los habían dejado para mí en un lugar de tan fácil acceso. Mas, ¿cómo cocinarlos?, ¿cómo hacer fuego?, ¿cómo cogerlos para llevarlos hasta mi pequeño reducto junto a la mesa-bajel? Resolver esas cuestiones requería algún tiempo y yo sólo sentía hambre, mucha hambre, así que miré los peces, agarré uno con las manos y, sin pensarlo más, lo descabecé con un golpe de mi daga, le quité las tripas y la espina y me lo comí. Fue cosa de magia. Cada pez que comía me devolvía las fuerzas; después de seis o siete, resucité y, tras trece o catorce, estaba ahíta y satisfecha.

—¡Ya basta, Catalina! —me regañé, lavándome las manos ensangrentadas en el agua y remojando el sombrero para evitar los calores en la cabeza. ¡Me sentía tan bien que, a pesar de la flojedad de las piernas, tenía para mí que podía correr hasta mi bajel como un corcel rompiendo cinchas!

Aquella misma tarde me puse en camino y anduve toda la playa hacia el oeste, en dirección al poniente. Descubrí algunas ensenadas y bahías, pero ningún pueblo y, por fin, llegué donde terminaba la arena y empezaban unos enormes acantilados que caían en picado hasta el mar. Allí la corriente de la costa rompía contra la pared de roca creando peligrosos remolinos. Deshice el camino y regresé al lugar que empezaba a considerar mi hogar, dispuesta a continuar explorando sin descanso hasta descubrir dónde me hallaba. A la mañana siguiente, tomé la dirección contraria, pisando la blanda arena con mis botas hacia el este, para llegar, al cabo de una legua[3] larga, al mismo acantilado en el que había estado la tarde anterior, aunque por su lado contrario. Aquello me desconcertó. Ya no tenía otra alternativa que ascender hasta la cima del monte para confirmar mis recelos: había ido a dar a una de esas pequeñas y desiertas islas de Barlovento[4] de las que hablaban los marineros de la galera cuando relataban, al anochecer, historias de piratas y tesoros escondidos. Había tantas, decían, que era imposible inscribirlas en las cartas de marear.[5] Muchas de ellas no habían sido vistas nunca por el hombre, ni barco alguno había fondeado jamás en sus aguas. Sólo piratas y corsarios conocían la situación de esos lugares porque les servían de guarida y escondite.

Me pareció en aquel momento que la playa, el mar y el monte giraban a mi alrededor como aspas de molino y, aun antes de haber llegado a la cumbre, ya derramaba lágrimas amargas por mi triste destino. Pasé junto a mi laguna de agua dulce mas, esta vez, continué ascendiendo, usando la espada y la daga para abrirme camino en la maleza. Duro enemigo era la vegetación de aquellas latitudes, sin hacer cuenta de los incansables mosquitos y demás animales que fui encontrando a mi paso: lagar-

3. Una legua equivale a cinco kilómetros y medio, aproximadamente.

4. A finales del siglo XVI, la denominación de islas de Barlovento incluía tanto las Pequeñas Antillas (Vírgenes, Dominica, Martinica, Trinidad...) como las Grandes (Cuba, La Española, Jamaica y Puerto Rico).

5. Antiguamente, mapa de navegación.

tos verdes del tamaño de mastines, con papadas y crestas espinosas; libélulas que, por su volumen, se confundían con pájaros; mirlos, colibríes, loros azules y anaranjados... Aquella extraña fauna era digna de ver, con sus brillos, formas y colores, si bien, por fortuna, no parecía haber fieras salvajes y peligrosas de las que tuviera que cuidarme. En apariencia, era un lugar pacífico y su único peligro sería, en el peor de los casos, la visita inesperada de los temibles piratas ingleses, franceses o flamencos.

Al llegar a la cima, donde corría un viento fresco muy grato y había menos mosquitos, comprobé, por desgracia, lo que temía: me encontraba en un pequeño islote, un islote con forma de media luna o, por mejor decir, de un cuarto de queso redondo (para añadirle la altitud del monte), con un arco de arena tan blanca como la leche de unas dos leguas largas por costa y un filo de acantilados que caían como una sábana por el lado del sur. En torno al islote, se extendía un tranquilo mar de color turquesa brillante de unas cincuenta varas[6] de anchura, tan cristalino que, desde donde me hallaba, podía divisar una cadenilla de arrecifes en el fondo marino y, más allá, el océano oscuro y solitario en todas direcciones. Esta cadenilla no estaba completa y deduje que por alguna de sus brechas se habría colado mi mesa para alcanzar la playa.

Estaba anocheciendo. El sol se ocultaba por el oeste dibujando uno de los ocasos más perfectos que yo había visto a lo largo de mis dieciséis años de vida, incluyendo el mes que había pasado en el mar a bordo de la galera. Me dejé caer en el suelo, sin apartar los ojos de la hermosa luna que aparecía suavemente por el este, y me puse a

6. Medida de longitud. Una vara equivale a 0,838 metros.

pensar. La muerte de Martín y mi segura muerte tenían que ser el desenlace de una maldición o un mal de ojo que algún bellaco había echado a nuestra familia y que había comenzado con la detención de mi señor padre dos años atrás, en el verano de mil y quinientos y noventa y seis: primero, falleció él por culpa de unas fiebres tercianas que contrajo en los calabozos de la Inquisición de Toledo; después, mi madre, Jerónima, que, no pudiendo soportar la desaparición de su esposo, se volvió loca y se echó a las aguas del Tajo cierta triste madrugada del invierno de aquel mismo año de mil y quinientos y noventa y ocho, con lo que aumentó en mucho la deshonra de la familia y atrajo sobre nosotros una segunda condena de la Iglesia. Luego, la muerte de Martín en el asalto pirata y, ahora, a no mucho tardar, la mía, a solas en aquella isla sin que nadie, ni siquiera mi señor tío Hernando, tuviera noticia de mi triste final.

Esa noche la pasé al raso en la cima del monte. Estaba más cómoda allí que en la playa porque, al haber menos mosquitos, se descansaba mejor. Lloré hasta que me dolió la garganta y me reventaron los ojos, hasta que mis gemidos despertaron a todos los pájaros de la isla y mis gritos navegaron mar adentro y se hundieron en el océano. Lloré tan desesperadamente que caí dormida sin apercibirme siquiera, segura de ser la más desdichada criatura del mundo. Pero debí de gastar toda mi pena aquella noche porque, al despuntar el día, cuando desperté, además de sentirme hambrienta y un poco magullada, estaba repuesta y más fuerte de ánimos. Contemplando el amanecer, hice un juramento solemne a mis padres y a mi hermano: sabría gobernarme a mí misma, sobreviviría a la adversidad y saldría de aquel islote aunque tardara años en construir una rudimentaria embarcación con la que alcanzar las rutas marítimas por las que navegaban las flotas del Nuevo Mundo, que eran, sin hacer cuenta de los piratas, los únicos barcos autorizados a surcar aquellas remotas aguas españolas.

No debía olvidar que yo era una mujer fuerte y decidida que estaba aún en la mitad de la vida, dueña de todo su vigor y señora de su cordura y, a decir verdad, bastante aliviada por no tener que asumir la carga de aquel odioso matrimonio que, aunque pagó nuestros pasajes hacia Tierra Firme, se celebró contra mi voluntad y sólo porque fue lo último que me pidió mi madre antes de morir. Quizá el destino me arrancaba de las manos de mi señor esposo, ese tal Domingo Rodríguez al que no conocía, porque esta isla era un lugar más deseable y afortunado para mí.

Animada por estos nuevos pensamientos, acudí a mi alacena marina y desayuné copiosamente un buen número de peces de barriga azul y cola amarilla. Comer pescado crudo no era placer de mi gusto pero mientras no descubriera la forma de hacer fuego —si es que tal cosa era posible en aquel lugar—, tendría que conformarme. ¡Cuánto lamentaba que nunca me hubieran enseñado a leer y escribir! Seguro que Martín, sólo con las cosas que había aprendido en los libros, hubiera sido capaz de hacer fuego, construir una cabaña, una balsa, una caña de pescar y hasta una pica con la que abatir alguno de esos hermosos pájaros que habitaban en los árboles del monte para comérselo bien asado. Yo, por mi parte, había pasado mis años ejercitándome con la aguja, hilando con la rueca y aprendiendo a cocinar, oficios bien inútiles en aquel momento.

Mi siguiente acción aquella mañana fue cortarme el pelo. La última vez que lo había lavado con jabón había sido en el barco, con la ayuda del ama Dorotea y, como se estaba convirtiendo en un estorbo y no tenía ganas de liendres ni otras cuitas, con el agudo filo de la daga fui segando mechón a mechón mi larga melena negra hasta que sólo quedó lo que ya no era dado quitar. ¿Qué me podía importar mi aspecto si nadie iba a venir a visitarme? Además, tenía el chambergo para protegerme del sol y, aunque hacía días que no llevaba más vestido que la camisa y los calzones (sólo me ponía las botas cuando subía al monte), podía pasearme desnuda por la playa si tal era mi gusto porque allí no había nadie que pudiera contemplarme.

Con el pasar de los días, las semanas y los meses me fui volviendo tan salvaje y solitaria como mi isla. Acabé por conocerla bien. Había abierto senderos y descubierto cuevas y lagunas de gran belleza. Estaba al tanto de sus mareas, de la dirección de sus vientos y de sus inesperados y poderosos aguaceros al atardecer. Con la mesa del maestre y los maderos que obtuve de una gruesa palmera seca que terminé por abatir a golpes de espada y daga, construí una chozuela en lo alto del monte, en un amplio hueco bajo un saledizo rocoso. Allí me fabriqué un lecho con hojas de palma trenzadas que refrescaba a menudo y una despensa para los alimentos silvestres que, observando a pájaros y otros animales, había aprendido a reconocer, tales como unos frutos amarillos, muy dulces, con una semilla negra y espinosa que utilizaba como posta contra los lagartos o unas gruesas bolas de color verde que, como los dátiles, crecían en las palmeras y que contenían unas grandes nueces cubiertas de pelo marrón que, al romperse contra el suelo, dejaban escapar un líquido muy sabroso que recogía y guardaba para utilizar en las comidas. Esas mismas nueces tenían una suculenta carne blanca y tiesa, que, una vez retirada, dejaba unos cuencos que servían como vasija para beber o como plato o cazuela para las viandas.

Las plantas de los pies se me endurecieron tanto con el pasar de los días que ya no necesitaba las botas para correr por el monte, así que las guardé y las olvidé al fondo de mi chozuela, junto con la ropa de Martín que ya no me ponía nunca y los viejos documentos que decían quién había sido yo en otra vida anterior. Como en la isla se sudaba mucho a todas horas, por tanto calor y tanta humedad, lavaba de continuo la camisa y los calzones en el agua limpia de la laguna más cercana a mi hogar (había tres y la que me dio de beber al principio era la más baja, la que estaba más cerca de la playa). El pelo volvió a crecerme y yo torné a cortarlo sin pesar ni lástima pues, para entonces, mi pasado en España estaba ya tan lejano que apenas lo recordaba.

Mi isla era de temple caliente y húmedo, sin estaciones. No había invierno ni verano. El bochorno era siempre el mismo y sólo trazaban el paso del tiempo las temporadas de lluvias o las de sequía, cuando el nivel del agua de las lagunas descendía cuatro palmos o más. No sabía en qué fecha me hallaba pero sí cuánto tiempo, más o menos, llevaba en el islote porque tomé por costumbre hacer todos los días una marca en un árbol que había frente a mi casa y, antes de que me hubiera dado cuenta, había pasado un año completo.

No me costó aprender a nadar. Era tan ancha la orilla, tan suave su declive hacia aguas profundas y tan mansas sus mareas que, sin miedo alguno, me fui adentrando hasta el límite que marcaba el arrecife y pronto estuve zambulléndome bajo el agua con tal gracia y desenvoltura que se me pasaban las horas errando entre las estrellas de mar, los caracoles marinos, las grandes tortugas, los corales púrpuras con forma de abanico y los bancos de peces de colores. Tenía una hermosa y recia pica de punta muy afilada —hecha con la rama quebrada de un árbol— con la que ensartaba los ejemplares más apetitosos y también, en casa, me había construido un rústico fogón donde ardía el fuego en el que asaba la caza y la pesca. El día que descubrí cómo hacer fuego marcó un antes y un después en mi forma de vida. Acaeció que andaba yo hurgando con la espada entre unos chinarros que había en la arena (mientras veía pasar la tarde sentada cerca de las rocas de mi alacena marina) cuando un cangrejillo se acercó al arma atraído, quizá, por el brillo del metal y, al querer asustarlo, para jugar, le di un buen golpe a una de las piedras. Al punto, una chispa saltó ante mis ojos y, aunque sólo tardé unos segundos en que se me iluminara el seso, estuve horas llamándome necia y simple por no recordar las chispas que saltaban del yunque de mi señor padre cuando forjaba una espada. Sólo tuve que acercar un poco de yesca y repetir el golpe, pero debo añadir que el yantar asado no fue la única mejora que me aportó el fuego.

Presto descubrí que, al calor de las llamas, la madera se torcía y se endurecía a mi gusto y, de este modo, elaboré un arco al que añadí un hilo de algodón que saqué de la camisa de Martín. Las flechas las hice muy pulidamente con la daga (debo explicar que cuidaba mis armas con el celo de una hija de espadero, ya que de ellas dependía mi existencia) y pronto estaba cazando aves y comiéndolas como una reina. También hallé, en la playa, los lugares de puesta de huevos de las tortugas y encontré que éstos eran muy sabrosos y nutritivos. De los charcos secos de la playa extraía sal cuando había suerte y, recogiendo de aquí, de allá y de acullá, me hice con cantidad suficiente para salar algunos pescados y conservarlos en mi alacena.

Pero no me olvidaba jamás de dos asuntos importantes: ante todo, la seguridad, pues me amedrentaba mucho la idea de verme sorprendida algún día por la arribada de un barco pirata, y después, la fabricación de una almadía[7] con la que marcharme de la isla. El primero se resolvió por azar cierta mañana en que me apeteció darme un baño en la laguna. Tenía la piel muy morena por el sol y, sobre todo, curtida y seca por el mar, así que me lancé de cabeza al pozo que tenía más cerca de casa por nadar en un agua más dulce. Cuando me zambullí para alcanzar el fondo, descubrí con sorpresa que no lo había y que un túnel muy largo progresaba en línea recta hacia el extremo opuesto de la isla. Como no tenía problemas para aguantar la respiración durante mucho tiempo debido a mis continuos baños en el arrecife, tras llenar de aire mis pulmones hasta que se me hincharon los carrillos, seguí aquel camino de agua avanzando torpemente en la oscuridad. No quiero faltar a la verdad ufanándome de un valor que no poseo: me costó varios intentos llegar al final del pasaje por el mal recelo que me entraba cuando me encontraba a medio camino. Pero mi decisión y curiosidad fueron más grandes que mi cobardía

7. Maderos unidos por cuerdas para flotar sobre ellos.

y, tentando las paredes mientras me impulsaba con los pies, di en sacar la cabeza en otro pozo situado en el interior de una cueva. La luz que llegaba desde la lejana entrada era muy débil y un extraño rumor de algo vivo me erizó la piel del cuerpo y me hizo huir de allí, aquel primer día, presa del pánico.

Cuando reuní el coraje suficiente para regresar, lo hice provista de espada, daga, arco y pica, y tuve buen cuidado en elegir una hora en la que el sol iluminara bien la boca de la cueva para que no me faltara luz pues, por lo que había alcanzado a discurrir, la entrada se hallaba situada en la rocosa e inaccesible pared del acantilado que quedaba exactamente detrás de mi monte y de mi playa. Me resultaba insoportable la idea de que pudiera existir un lugar desconocido para mí en el que se escondiera algo peligroso que pudiera hacerme daño.

Salí del agua con muchas prevenciones y, aterrada por el sordo rumor, me enderecé muy despaciosamente con la espada en una mano y la pica en la otra, presta a defenderme y a matar ante el menor movimiento. Hacía un frío terrible al que ya no estaba acostumbrada y se me puso la piel de gallina bajo las ropas mojadas al tiempo que comenzaba a dar diente con diente y a temblar como una azogada. El suelo estaba cubierto por una gruesa capa de un serrín blando y oscuro que no era ni barro ni arena pero que se asemejaba a los dos y, así, hundiéndome en él hasta las pantorrillas, avancé hacia la luz sin percatarme de que, sobre mí, colgando cabeza abajo del techo de aquella gruta, miles de gordos murciélagos seguían mis movimientos listos para echar a volar en cuanto mi presencia se volviera peligrosa. Pero como yo no los veía ni tenía conocimiento de su existencia, me fui envalentonando y acabé por erguirme y caminar con soltura a pesar del frío.

Dos circunstancias propiciaron lo que después aconteció: al dar el siguiente paso tropecé con algo duro y metálico que me lastimó el dedo pequeño de un pie. Solté una exclamación de dolor y, sin darme cuenta, agité la pica en el aire tocando de este modo el cuerpo de varios de aquellos murciélagos, lo que provocó una desbandada general en forma de manto negro y palpitante que se precipitó hacia la salida con un aleteo enloquecido, golpeándome de manera reiterada hasta hacerme caer al suelo y, mientras ellos huían de mí, yo caía hacia adelante, mas, en lugar de terminar dando contra el suelo, me golpeé el vientre, las costillas y la cara con unos tubos de hierro, de cuenta que se me bañó toda la boca en sangre por culpa de unos cortes muy feos que se me abrieron en los labios. Me quedé sin aliento, herida y magullada, pero la doncella lacrimosa que yo había sido ya no existía, así que me incorporé con presteza y, secándome la sangre con la manga y sacudiéndome el guano de la cara y la camisa, eché una mirada a la cueva, ahora vacía y silenciosa, y recuperé mis armas.

La gruta era espaciosa y más larga que ancha. Al fondo estaba el lago, cubierto por un manto grumoso de aquellos excrementos que lo ensuciaban todo y, al otro extremo, la entrada de la cueva, por la que se escuchaba, lejano, el sonido del mar. Con todo, antes de asomarme para ver su situación, juzgué mejor comprobar qué eran aquellos tubos contra los que me había golpeado y cuál no sería mi sorpresa al hallar cuatro viejos falcones de bronce con el calibre lleno de guano y sin emblemas ni marcas en las testeras que permitieran identificar su origen. El aliento se me cortó al descubrir, por primera vez desde que vivía en la isla, señales de otras presencias humanas y, además, tan poco gratas, pues el origen pirata de aquellos cañones no tenía discusión, y qué hacían allí y cómo habían llegado y por qué eran misterios que me mortificarían durante mucho tiempo. Su deterioro era obvio, pero la presencia de un puñado de proyectiles de piedra cuidadosamente depositados en un costado indicaba que su desempeño en la cueva había sido ofensivo, aunque no estaban apuntando ni al lago ni a la entrada. Me pregunté si quizá sirvieron en algún momento para atacar a los barcos que se acercaban a la costa, aunque ninguna nave intentaría jamás atracar en aquella zona por los peligrosos remolinos que formaban las corrientes.

Al punto no se me ocurrió darles ninguna utilidad, así que no hice cuentas para intentar llevármelos (tarea sumamente costosa a falta de poleas) y aún comprendí menos cómo los habían subido hasta allí cuando me asomé a la boca de la cueva y vi la enorme altura a la que me encontraba. No, imposible, me dije; subirlos no los habían subido. Miré, pues, hacia arriba, hacia la cima del monte y, aunque tampoco la distancia era pequeña, parecía más probable que los hubieran bajado con la ayuda de cabos o maromas.

Los murciélagos, disgustados por la visita, intentaban regresar en bandada a sus lugares de reposo en el techo de piedra, volando rápido con bruscos y enfadados giros hacia las cuatro direcciones. Revisé la cueva por última vez y me dije que era un buen lugar en el que esconderme llegado el caso, ya que si venían los dueños de los falcones pedreros siempre podía huir por el pozo mientras ellos descendían desde la cima y, si no eran tales sino otros, nunca podrían encontrarme allí.

Resuelto el problema de la seguridad, el otro asunto importante era la construcción de una almadía con la que marcharme de la isla. Habilité un espacio pequeño y recóndito entre las rocas de mi alacena al que iba llevando poco a poco los troncos que, a golpe de espada y tajos de daga, talaba pacientemente en la parte baja del monte. Con cuerdas que yo misma fabriqué torciendo pieles de lagarto con nervios de palma, y que usaba a modo de dogal o de arnés, arrastraba los maderos sobre la finísima arena realizando un esfuerzo considerable que, las más de las veces, resultaba estéril e irritante. Empleaba en ello muchas horas del día y, cuando me cansaba, abandonaba el trabajo por una semana o dos hasta que la mala conciencia me obligaba a retomarlo. Mucho me fortalecí con aquella labor y aún hoy conservo la firmeza de cuerpo que gané en aquellos lejanos tiempos.

Con estos y otros menesteres fue pasando aquel primer año. Las angustias del principio dieron paso a la tranquilidad del final, pues había logrado un buen acomodo con buen alimento y me hallaba sana y segura. No había nadie ni nada que echara en falta, y tampoco nada ni nadie que me esperara fuera pues, a buen seguro, mi señor tío y mi señor esposo me habían dado por muerta hacía mucho tiempo. Como, igualmente, había pasado toda mi vida dentro de casa, guardada con harto recato y encerramiento por mantener a salvo mi honra y para que mi futuro marido no tuviera nada que objetar, tampoco añoraba la compañía humana pues todos a los que conocía y había amado ya no pisaban la tierra.

En éstas andaba, libre y feliz, cuando, cierta mañana, antes del día, unos sonidos que me parecieron voces llegaron hasta mi casa en la cima del monte. Eran voces recias, masculinas, voces de marineros bogando y de un maestre dando órdenes. Abrí los ojos de golpe y me incorporé en el lecho con el corazón saliéndoseme del pecho. ¡Piratas!, pensé acobardada. Rápidamente me vestí y cogí la espada. La situación de mi choza, bajo el saliente rocoso, me permitía vigilar la playa y el arrecife sin ser vista desde abajo. Eché cuerpo a tierra y asomé la cabeza. Una enorme nao de tres palos con las velas recogidas en las vergas y llevada a la sirga por un batel con ocho marineros y dos grumetes entraba arriesgadamente en mi arrecife por la más amplia y profunda de sus brechas, acercándose hacia la costa. Tragué saliva. Eran piratas, sin duda, ¿qué otra cosa podían ser? Pensé que debía hacer acopio de vituallas porque no sabía cuánto tiempo tendría que permanecer escondida en la cueva de los murciélagos. Con todo, aún era pronto para emprender la huida. Antes debía averiguar cuáles eran sus intenciones puesto que podían marcharse ese mismo día sin apercibirse de mi existencia ni causarme mal alguno.

El batel atracó en la playa y los marineros saltaron al agua y lo arrastraron arena adentro. El maestre que guiaba la nao, un hombre alto de cuerpo, seco, vestido con un largo ropón escarlata, tocado con un chambergo negro de alas anchas y con espada de hidalguía al cinto, descendió por una escala de cuerda tendida desde la borda en cuanto la nave encalló contra el fondo de arena. Me sobresalté. ¿Cómo pensaban desembarrancarla para marcharse...? ¿O es que, acaso, no pensaban marcharse? El maestre caminó hacia la orilla con aires de duque o de marqués mientras sus hombres —ataviados con humildes camisas de lienzo, calzones cortos, alpargatas y pañuelos en la cabeza— descargaban en la arena toneles, cestos, arcones, botijas, odres, barriles, pipas y zurrones en tal cantidad que era maravilla ver cómo todas aquellas cosas habían venido en el batel con ellos. Sin duda se trataba de géneros robados a los mercantes españoles que hacían la Carrera de Indias con las flotas para abastecer de bienes a los colonos.

Retrocedí lentamente y entré de nuevo en mi casa. Con el mayor de los sigilos preparé alimentos y armas y, para protegerme del frío de la cueva, me puse el jubón de gamuza, la casaca de cuero y las botas de ante. Me dificultarían la natación pero, una vez allí, estaría bien abrigada. Salí y volví a arrastrarme hasta el mirador desde el que avizoraba la playa. Los piratas habían acampado en la arena. A falta de algo mejor, con cuatro palos y una lona habían preparado un cobertizo bajo el que cobijarse y los vi meter allí sus fardos y arcones así como una lujosa silla de brazos que trajeron de la nave y que supuse sería para el maestre. Pronto estuvieron todos debajo y los perdí de vista, por eso, cuál no sería mi asombro al escuchar, de repente, una música alegre, muy bien interpretada con instrumentos, y una voz sonora y grave que empezó a cantar, en lengua castellana, a pleno pulmón:

Soy contento y vos servida
ser penado de tal suerte
que por vos quiero la muerte
más que no sin vos la vida.

¿Me estaba volviendo loca? Llevaba un año sin escuchar música y, desde luego, era lo último que pensaba oír. Un laúd y un pífano acompañaban al cantante:

Quiero más por vos tristura
siendo vuestro sin mudanza
que placer sin esperanza
de enamorada ventura.
No tengais la fe perdida,
pues la tengo yo tan fuerte
que por vos quiero la muerte
más que no sin vos la vida.[8]

Paralizada por la impresión, no me había dado cuenta de que la gran nao, que ocupaba poco más o menos todo el ancho de mi arrecife, había comenzado a torcerse hacia un lado por falta de sostén: al comenzar el reflujo de la marea, la nave había quedado apoyada sobre el fondo y se ladeaba peligrosamente hacia uno de sus costados, a pesar de lo cual a aquellos hombres no parecía preocuparles lo que estaba sucediendo. Seguían cantando y tocando como si se encontraran en alguna alegre fiesta campestre.

Por fin, entre crujidos de cuadernas y sacudidas de mástiles, la nave quedó totalmente varada, tumbada sobre su lado de estribor. Yo no daba crédito a lo que veía (además del que ya no daba a lo que oía) pero, entonces, con el último chirrido de la madera, la música se detuvo. Salvo el maestre, todos los hombres abandonaron el co-

8. Villancico (canción popular) de Juan del Encina (1469-1529).

bertizo, se dispersaron por la playa y entraron también en el bosque, del que salieron con maderos y yesca que reunieron para preparar una gran hoguera en la arena, cerca de la nave. ¡Qué poco les costó esta tarea! Como eran tantos, en un santiamén tenían lista la pira y sólo tuvieron que acercar la mecha de un arcabuz para ver cómo las llamas se elevaban hacia el cielo. Al punto, fabricaron una tea para cada uno y, con ellas en la mano, se acercaron al casco del barco y empezaron a pasar el fuego sobre él como si lo estuvieran pintando con mucho detenimiento. Los grumetes, al ser pequeños aún, se encargaban de la parte baja de las tablazones, pero no por ello trabajaban menos. Algo chamuscaban, aunque no sabía bien qué.

En esta tarea se demoraron mucho tiempo, tanto que, de puro aburrimiento, me estaba quedando dormida. Sólo la música que salía del cobertizo, un suave y melancólico tañer de cuerdas de laúd, me mantenía despierta, pues ejercía sobre mí, después de un año sin oír nada semejante, el efecto de un encantamiento. Me mantenía quieta y en silencio, con los ojos cerrados, sudando a mares por culpa de la mucha ropa que llevaba puesta, pero contenta y tranquila por la música. Pensaba que acaso no eran piratas sino mercaderes porque habían estado cantando en castellano y más que venir a mi isla a esconder tesoros parecía, antes bien, que necesitaban reparar su nave o poner en ejecución algún trabajo de ella.

Y, andando en éstas, mientras empezaba a considerar miedosamente si debía bajar a la playa y hacer acto de presencia ante unos posibles salvadores que quizá fueran tan amables de llevarme hasta algún lugar civilizado, una zarpa de hierro me sujetó con violencia por el cuello de la casaca y tiró de mí hacia arriba, incorporándome sin miramientos y arrancándome de la mano, al mismo tiempo, la espada que sujetaba. Solté un alarido y empecé a dar puñetazos y patadas a diestro y siniestro, sin encontrar otra cosa que el aire al extremo de mis golpes. Toda mi fuerza, que era mucha a esas alturas, no me servía de nada.

—¿Quién sois vos? —me preguntó, en castellano, una voz amenazadora a mi espalda.

No podía girarme ni ver la cara de mis atacantes. El que me sujetaba por el cuello había pasado a inmovilizarme los brazos y a bajarme la cabeza hacia el suelo con brutalidad. Decidí que no hablaría. No estaba dispuesta a colaborar con el enemigo. Si lo que deseaban era matarme, que lo hicieran. Tanto me daba.

—¿No vais a decir vuestra gracia, patria y linaje, señor? —insistió la voz. Tenía un acento raro, como de extranjero naturalizado.

Me obstiné en seguir callada. Ni siquiera caí en la cuenta, por los nervios, de que me habían tomado por un hombre y no por la mujer que era.

—No hablará —dijo otra voz.

—Pues llevémoslo con el maestre. Será un pirata inglés abandonado en esta isla por sus compadres.

—¡No soy un pirata inglés! —grité, intentando zafarme de nuevo de las garras que me apresaban.

Tras unos segundos de silencio, me levantaron la cabeza tirando del corto cabello. Había dos hombres. Uno sujetándome, al que no veía, y otro frente a mí, un mulato de cuerpo recio y grande, que me examinaba con atención.

—¿Sois español? —preguntó, sorprendido. Tenía los ojos grandes y enrojecidos.

—¡Sí, así que suéltame si no quieres ser castigado!
—Los negros y los moros, por su calidad de esclavos (eran pocos los de condición libre, al menos en España), no podían tratar a un cristiano y, por más, mujer y dueña, de aquella manera. ¿Mujer y dueña...? Mejor haría callándome, me dije, y que siguieran creyendo que era un hombre.

—¿Castigado por quién, señor? —preguntó, en broma, el que me sujetaba, que, ahora, empezaba a aflojar la presión.

—¡Por vuestro amo! —grité, enfadada al ver que no me soltaban. No sabía si mi captor era también mulato, negro, moro, indio o blanco, pero di por sentado que, puesto que andaba con mulatos, mulato debía de ser.

—Mi amigo Antón y yo no tenemos amo, señor —replicó, empujándome hacia adelante para obligarme a caminar colina abajo—. Somos hombres libres y trabajamos para un maestre hidalgo que nos trata como a personas de bien. Así que, señor... —me golpeó con su rodilla en una pierna, haciéndome perder pie—, cuidad el lenguaje si no queréis lamentar vuestras palabras.

El resto del camino hasta la playa fue un accidentado descenso a empellones, envites y zancadillas. Aquellos dos eran mala gente y se aprovechaban de la situación. Quizá no fueran piratas, pero se comportaban como tales y, por ello, merecían todo mi desprecio.

A no mucho tardar me encontré frente al maestre, bajo el cobertizo, que estaba entretenido tañendo un bonito laúd. No se dignó levantar la cabeza cuando los dos brutos me tiraron de golpe sobre la arena, a sus pies.

—Mirad lo que hemos encontrado en el monte, señor Esteban —dijo uno.

El maestre pareció prestarme atención al fin y dejó a un lado el instrumento. Era un anciano de edad considerable, cercano a los sesenta años y me sorprendió mucho no sólo que un hombre tan mayor aún estuviera vivo, sino que, además, se dedicara a marear por aquellos océanos como si fuera joven. Se había quitado el ropón escarlata y el chambergo negro y aparecía ataviado con una elegante camisa bermeja, unas ceñidas calzas tostadas y botas de cuero.

—¡Por mis barbas que habéis hecho buena caza! —soltó echándose a reír y supe que era el dueño de aquella voz grave que había estado cantando villancicos toda la mañana—. ¿Es cristiano?

—Eso dice.

—¿Y español?

—Así lo afirma, señor.

—Pues bien, hijo —añadió, dirigiéndose a mí—, dame cuenta de quién eres, cuál es tu gracia y tu linaje.

—Ni soy vuestro hijo ni os daré a conocer nada —repuse, enfadada, procurando que mi voz sonara viril. El trato que había recibido de sus dos hombres me había ofendido profundamente.

—Está bien, está bien... —musitó, aplacando las risas—. Eres aún muy joven, sin duda. ¿Podrías decirme, a lo menos, cómo has venido a dar a esta isla?

—No —rechacé, bajando la mirada sin apercibirme, pues es obligación que las doncellas recatadas miren al suelo cuando hablan con un hombre—. No os diré nada sin antes saber quién sois vos y qué hacéis aquí.

Mis dos captores, que permanecían de pie a mis espaldas, se rieron con gusto.

—¿Así que tú me exiges a mí que yo me presente?

—me interpeló el maestre, inclinándose en la silla para poner sus ojos muy cerca de los míos. Aquello me desconcertó. Era un caballero muy extraño y no sólo por su avanzada edad: a pesar de que había exclamado «por mis barbas», no tenía ni un solo pelo en las mejillas ni el mentón, su nariz y sus ojos eran pequeños y afilados y su piel era del color de un dátil maduro. Si aquel viejo era un hidalgo español, yo era el jovenzuelo por el que me estaban tomando—. Sea, muchacho. No tengo inconveniente en darte cuenta de lo que pides. Mi nombre es Esteban Nevares, hijo de Gaspar de Nevares, que llegó a las Indias acompañando a don Cristóbal Colón en su cuarto y último viaje. Soy, por lo tanto, español criollo, es decir, súbdito de Su Real Majestad Felipe el Tercero, nacido en estas tierras del imperio, y soy hijodalgo de posesión y propiedad por el linaje de mi padre, que procede de los montes de León, donde se halla la mejor nobleza castellana. Me precio de ser, por más, el maestre de este hermoso jabeque, la *Chacona,* que estamos carenando en las aguas someras de esta rada a la que acudimos cuando pasamos por aquí para mercadear en los puertos españoles de las islas y del continente, en esta nuestra patria de Tierra Firme. Soy, como ya habrás supuesto, un honrado comerciante de trato que compra y vende sus abastos por todo el Caribe y tengo, además, tienda pública como mercader en el hermoso villorrio de Santa Marta.

No había entendido nada de lo que había declarado el anciano, excepto que era hidalgo y comerciante, cosas ambas de difícil combinación, a lo menos en España, donde la mayoría de los hidalgos se cuidaba mucho de ejercer algún oficio de los considerados viles, los que podían menoscabar la honra.

—Y, ahora, dime, hijo... ¿cuánto tiempo llevas aquí? —me preguntó.

—Salimos de Sevilla en octubre de mil y quinientos y noventa y ocho —expliqué—, a bordo de una galera que formaba parte de la flota del general Sancho Pardo, y nuestra nave fue atacada por piratas ingleses un mes después, a la altura de las islas de Barlovento.

El maestre asentía mientras me escuchaba y, por lo que se dejaba adivinar en su cara, estaba haciendo sus propias cuentas del tiempo transcurrido.

—¿En qué día, mes y año estamos, señor? —quise saber, sin levantar los ojos de la arena.

—Bueno, muchacho... —murmuró arqueando las cejas—, estamos a once días del mes de febrero del año mil y seiscientos.

¡Casi cuatro meses más de lo que yo había calculado! A lo que parecía, mis marcas diarias en el árbol no habían sido todo lo diarias que yo creía. Así que, en realidad, ya tenía diecisiete años y medio. Era una mujer hecha y derecha, además de casada, y aquellos hombres me tomaban por un muchacho malcontento perdido en una isla. Y sólo por llevar puestas las ropas de Martín.

—Ahora, si te place —siguió diciendo el maestre con gentileza—, ¿serías tan amable de decirme tu gracia y tu linaje?

Me quedé en suspenso, sin saber qué hacer. ¿Qué le respondía, que era Catalina o que era Martín? Mi honra podía verse mancillada en aquel mismo momento si me daba a conocer como mujer, pues era bien sabido que los marineros que permanecían hacinados durante mucho tiempo en el mar no respetaban ni a viudas ni a ancianas.

—Me llamo Martín Solís, hijo legítimo de Pedro Solís, el espadero más famoso de Toledo, y de su esposa, Jerónima Pascual, muertos ambos antes de emprender mi viaje hacia las Indias. Soy natural de la villa mentada y llegué a esta isla a bordo de una miserable embarcación con la que conseguí escapar de mi galera durante el ataque pirata.

La cara del maestre se había ido ensombreciendo mientras yo hablaba y, al quedarme callada, su rostro mostraba un gesto de furia contenida que yo, temerosa, no acertaba a explicarme.

—¡Mientes, rufián! —vociferó poniéndose en pie y golpeándose las botas con la vaina de su espada—. Te he tratado con benevolencia y tú me respondes con embustes y dobleces. No sé quién eres pero, desde luego, mientes —y, diciendo esto, me sujetó la cara por la barbilla levantándola hacia él—. ¿Dónde está el vello de tu rostro, muchacho?, pues, aparte de un poco en las sienes y algo más entre las cejas, careces de él. ¿No te parece extraño? Tu cabello es negro y lacio como el de los indios, y tu tez morena, jovenzuelo, indica claramente que eres mestizo, coyote o cuarterón.[9] Tampoco dice mucho en tu favor que, siendo varón, huyeras de tu galera durante un ataque pirata en lugar de luchar para defenderla, por niño que fueras, pues sólo las mujeres

9. En la sociedad colonial del Nuevo Mundo se produjo casi desde el principio un rápido mestizaje entre blancos, indios, negros y chinos. La mezcla de estas razas dio lugar a un sinfín de castas, que constaban oficialmente en los registros administrativos y en la documentación de cada persona. El mestizo era hijo de español e indio; el mulato, de español y negro; el coyote o cholo, hijo de indio y mestizo; y el cuarterón o castizo, hijo de español y mestizo.

quedan libres de esta obligación. Cierto es que, a finales de mil y quinientos y noventa y ocho, arribó a Tierra Firme la flota de Los Galeones al mando del general Sancho Pardo, pero eso no confirma que tú viajaras en ella. Cierto también que, en esas fechas, navegaba por estas aguas de Barlovento el patache *John of London,* del capitán corsario Charles Leigh, y que hubo asaltos a naves rezagadas de Los Galeones. —Se agachó con agilidad para recoger del suelo mi espada ropera y mi daga y las examinó cuidadosamente—. Cierto, asimismo —siguió diciendo—, que estas hermosas armas llevan una O sobre una T en el interior del escudete, lo que asegura que proceden de Toledo y que, en los canales de las hojas, aparece el nombre de... —alejó el acero de sus ojos todo lo que le daba de sí el brazo pero, como ni de este modo veía, sacó unos anteojos de su faltriquera y se los ajustó en la nariz—, el nombre de un forjador llamado Pedro Solís.

Se quitó las lentes y volvió a examinarme con atención. Le vi poner un gesto suspicaz en la cara y reflexionar hondamente mientras daba vueltas a mi alrededor.

—Antón, Miguel —ordenó de pronto—. Regresad a las faenas del barco.

—¿Os dejamos a solas con él, señor Esteban? —se extrañó uno de ellos.

—Tranquilos. No corro ningún peligro. Id.

Los hombres se alejaron por la playa en dirección a sus compañeros, que seguían pasando el fuego por el casco del jabeque.

—Muy bien, señora... —me soltó de repente el maestre con su voz grave, hincando una rodilla en la arena delante de mí—. ¿Vais a contarme ahora la verdad?

Me quedé de una pieza. ¿Cómo había sabido aquel anciano que yo era una mujer?

—¿Tenéis documentos? —solicitó.

—Arriba... En la cima del monte... —balbucí—. En mi casa. En un canuto de hojalata.

El maestre se incorporó. Puso las manos alrededor de la boca, a modo de bocina, y gritó:

—¡Juanillo! ¡Ven!

Un niño de unos siete u ocho años, negro como la noche, echó a correr hacia nosotros, tirando su tea, al pasar, sobre los maderos de la hoguera.

—¿Qué desea vuestra merced, maestre? —preguntó frenando en seco junto a mí, salpicándome de arena.

—Súbete a lo más alto del monte y encuentra la casa de este nuestro huésped. Entra en ella y busca un canuto de hojalata como los que se usan para guardar documentos. Tráemelo presto.

El negrito volvió a tomar la carrera y se internó entre los árboles por el sendero que yo misma, con mis muchas idas y venidas durante un año y medio, había abierto en la espesura. Sin duda, esa entrada había sido lo que me había delatado a mis dos captores mulatos y, ahora, aquel viejo hidalgo listo como el demonio había descubierto mi auténtica condición de mujer. Estaba perdida. A no mucho tardar, aquellos marineros violentarían mi honra para satisfacer sus deseos.

—Hablad —me ordenó el maestre, tomando asiento de nuevo y sacando una fina pipa de arcilla de un costal que tenía junto a sí. Su porte y sus modales delataban buena cuna y buena educación. No parecía muy apropiado que alguien de su clase trabajara de mercader.

—Sepa vuestra merced, señor Esteban, que no mentí —empecé a decir—, que todo lo que conté era cierto, salvo por el detalle de que mi nombre no es Martín sino Catalina. Martín era mi hermano menor, que murió en el asalto pirata. Mis padres son quienes dije y también mi ciudad. Nuestra ama me vistió con las ropas de mi hermano para ponerme a salvo de los ultrajes de los piratas.

—Buen pensamiento —murmuró, poniendo con mucha calma un manojito de hebras de tabaco en la cazoleta de la pipa—. Y, decid..., ¿cuál era el motivo de vuestro viaje a estas nuevas tierras? ¿Algún familiar os propuso acogimiento tras la muerte de vuestros padres?

—Así fue, señor —asentí—. Tengo un tío, hermano de mi madre, en una isla llamada Margarita. Nadie más quiso darnos auxilio cuando mi padre murió en los calabozos de la Inquisición de Toledo.

El maestre dio un respingo en su silla.

—¿Qué decís? —inquirió, nervioso.

—Es una historia muy triste —me lamenté—. Alguien, no supimos nunca quién, denunció a mi padre ante la Inquisición por falta de respeto al sacramento del matrimonio. Ya sabéis que la Iglesia anda muy vigilante últimamente tanto de las herejías extranjeras como de las costumbres morales del pueblo. Mi padre no fue el único cristiano viejo a quien se encerró en los calabozos por fornicar fuera del matrimonio. Eran muchos los nombres que aparecían en las listas de condenados.

—Sí, tenéis razón. Por suerte, aquí las cosas no están tan mal como allí —dijo, levantándose de la silla y acercándose hasta la hoguera de la playa para darle fuego a su pipa. Luego, regresó echando un humo menudo por la nariz y la boca—. La Inquisición no ha entrado aún con fuerza en estas tierras, aunque no por falta de ganas, sin duda.

—Pues mejor para vuestras mercedes, porque no tienen compasión. Cuando mi señor padre afirmó, durante el juicio, que la simple fornicación, matrimonial o no, era lícita, los inquisidores redoblaron su interés por él y descubrieron que no conocía el Credo ni otras oraciones primordiales de la Iglesia, así que ordenaron registrar nuestra casa y hallaron, entre más de veinte cuerpos de libros grandes y pequeños, algunos de los prohibidos por el Índice de Quiroga de mil y quinientos y ochenta y cuatro.

—Buenos conocimientos tenéis —afirmó, tomando asiento de nuevo.

—Sólo en lo que me atañe, como es el caso de mi padre. No sé leer ni escribir, pero poseo muy buena memoria para lo que me interesa.

—Y ¿qué libros encontraron?, ¿lo sabéis?

—Sólo recuerdo uno de ellos pues, como os he dicho, señor, yo no sé leer. Se titulaba, si no me viene mal el nombre a la cabeza, *La vida de Lazarillo de Tormes* o algo así.

—¡Buen libro, a fe mía! —exclamó el maestre sin poder contenerse. Le miré atónita.

—¿Acaso lo habéis leído? La pena, señor, es de excomunión.

—¿Y qué le ocurrió después a vuestro padre? —demandó a su vez, esquivando mi pregunta.

—Enfermó de unas fiebres tercianas y murió. Quedamos en la ruina. Todos nuestros bienes fueron embargados y hasta la casa que teníamos nos fue arrebatada, el taller cerrado y las espadas vendidas al mejor postor. Mi madre pidió ayuda a nuestros deudos y amigos, y también a sus parientes de Segovia, pero nadie quiso mancillarse acogiendo a una familia señalada por la Inquisición. Ya sabéis cómo son las cosas.

—Demasiado que lo sé —repuso cambiando de postura en la silla—. ¿Y qué le ocurrió a vuestra madre?

—No lo conocemos a ciertas, señor. —Hacía tanto tiempo que no hablaba de aquella manera que empezaba a dolerme la garganta y no sólo por la abundancia de palabras sino también por la congoja que me producían los recuerdos—. Se fue trastornando desde la muerte de mi padre. Fuimos a vivir a un cuarto miserable que nos arrendó el Gremio de Espaderos de Toledo cerca de la plaza de Zocodover. Nadie nos hablaba, ni siquiera nos saludaban por la calle, y los maravedíes se iban agotando en la bolsa. Tengo para mí que no pudo más, que se le torció el seso por la agonía y la pena y que por eso se tiró al río. Las deudas nos ahogaban porque el ama Dorotea se desvivía por traer comida a casa todos los días, aunque fuera de fiado.

El maestre se revolvía en la silla cada vez más nervioso y la fina pipa de arcilla pasaba de una mano a otra sin descanso, como si la cazoleta le quemara. Acaso no le gustaba lo que estaba oyendo mas, entonces, ¿a qué preguntaba? Que dejara de indagar en mi vida.

—Y, en aquellas tristes circunstancias —continuó—, apareció vuestro tío y os salvó.

—No, no fue exactamente así.

—¿Habéis dicho que vuestra madre se llamaba Jerónima Pascual?

—Precisamente.

—¿Y decís que tenía un hermano en la isla Margarita?

—Mi señor tío Hernando, así es.

—¡Hernando Pascual, el segoviano! —exclamó con alegría. A mí, el corazón me dio un vuelco en el pecho. ¿Conocía a mi tío? ¿Iba a llevarme con él?—. Ha muchos años que tengo negocios con el segoviano y con su compadre, Pedro Rodríguez. ¡Buena gente los dos! Ambos regentan una latonería en Margarita y venden excelentes productos.

En ésas, el negro Juanillo, que había subido hasta mi casa para traer mis documentos, apareció en la playa a todo correr agitando en la mano el canuto de hojalata.

—Espero que no me hayáis mentido, muchacha —murmuró el maestre levantándose y caminando hacia Juanillo, que llegaba sin resuello.

—¿Era esto lo que queríais, maestre? —preguntó entrecortadamente.

—Esto era. Gracias. Vuelve al trabajo.

El señor Esteban abrió el canutillo y desplegó mis documentos mientras regresaba a su asiento. Nuestra larga charla no dejaba de sorprender a los marineros que, de vez en cuando, nos echaban una mirada desde lejos. Los vi interrogar a Juanillo en cuanto éste se les allegó.

—Bien, bien... —iba diciendo el señor Esteban mientras repasaba los papeles, mas, al punto, su cara cambió.

Le vi sacar de nuevo los anteojos de la faltriquera y calzárselos apresuradamente mientras torcía la boca con un gesto que no me gustó nada. ¿Habría encontrado mi partida de matrimonio? Y, si así era, ¿qué podía molestarle de ella si conocía a mi señor tío y era el nombre del hijo de su socio el que aparecía junto al mío en aquel documento eclesiástico?

—¡Os han casado con Domingo Rodríguez! —exclamó.

—Por poderes, sí, señor —asentí—. Contrajimos matrimonio en el verano previo al viaje, unas semanas después de la muerte de mi madre. Fue la condición que puso mi señor tío para enviarnos caudales y acoger a la familia en su casa de Margarita.

Pero el maestre no me oía. Había comenzado a soltar una ristra interminable de denuestos y oprobios como no los había oído yo ni de boca de los marineros de la galera, que eran gentes más bien zafias. Sus gritos y maldiciones atrajeron a los hombres, que, sin soltar las antorchas, echaron a correr hacia el toldo. El señor Esteban, al verlos, se calmó de golpe y, con un gesto de la mano, los detuvo y los hizo volver al trabajo mas, cuando se giró para mirarme a mí, había tal ferocidad en sus ojos que me sentí examinada por el mismísimo Lucifer.

—¿Sabéis lo que os han hecho, mi niña? ¿Sabéis lo que os han hecho? —repitió muchas veces. Empecé a asustarme de verdad.

—¡Hablad, señor! —le supliqué.

Sin que reparara en ello, sus pasos habían abierto un profundo surco en la arena a mi alrededor.

—Domingo era un chiquillo sano y normal —empezó a relatar con lástima, deteniendo el paso—. Aún lo recuerdo corriendo por la calle de la latonería. Ayudaba a su padre en todo hasta que, a los diez años, una mula le dio una coz en la cabeza que casi le quitó la vida y, desde luego, le quitó todo el seso. Desde aquel desgraciado día, Domingo ni habla ni piensa, sólo babea, se ensucia encima y persigue a las mujeres desde que alcanzó la mocedad. Su cuerpo se corresponde con el de un hombre adulto pero su mente, señora, es la de un recién nacido.

Estaba tan confundida que no podía pronunciar ni una sola palabra.

—En alguno de mis viajes a Margarita he oído decir a Pedro Rodríguez —siguió contando— que no le importaría meter en el lecho de su único hijo a una india, una negra o, incluso, a una cantonera,[10] con tal de tener un nieto sano que pudiera heredar su parte del negocio. El problema es que no hay mujer ni negra, ni india, ni cantonera que quiera yacer con ese joven babeante, rijoso y sucio al que le falta un ojo y media cabeza, y lo digo en el sentido más preciso del término, pues la coz se la rompió en tantos pedazos que sólo con algunos pudo el cirujano recomponérsela. Su padre lo tiene encerrado bajo llave para que no ultraje a todas las jóvenes de Margarita y porque, a veces, se pone muy violento.

El sudor me corría a chorros por el cuerpo y no era por el calor habitual de mi isla. El pánico me atenazaba. ¿Aquel desgraciado era mi marido? Pero ¿en qué pensaba mi señor tío cuando me entregó traicioneramente a ese enfermo más digno de lástima que del respeto debido a un esposo? Debió de creer, el muy canalla, que me valdría aquello de «Cásame en hora mala, que más vale algo que no nada».

—Lo que yo veo —terminó diciendo el maestre de muy mal humor— no es sino que os adquirieron con malas artes para que engendrarais al nieto de Pedro Rodríguez. Mejor vos que una negra, una india o una cantonera.

Y empezó a soltar otra sarta de improperios e insultos contra aquellos dos compadres margariteños que me ha-

10. Prostituta que busca clientes en las esquinas o cantones.

bían hecho una desgraciada para el resto de mi vida. Con todo lo que me lamenté al principio, ahora entendía por qué mi buena ventura me había hecho recalar en aquella isla. Y en ella me quedaría mil veces antes que culminar mi viaje.

—Dejadme aquí, señor —le pedí al maestre—. No me obliguéis a afrontar tan aciago destino. Os suplico que guardéis el secreto de mi presencia en esta isla y que, cuando acabéis los trabajos en vuestra nave, os marchéis en paz. Sabré cuidar de mí misma como lo he venido haciendo hasta ahora.

El señor Esteban se dejó caer, abatido y enfadado, en su elegante silla de manos.

—¡Callad, señora! —me ordenó—. Dejad que piense.

—¿Puedo, mientras pensáis, y dado que ya pasó el mediodía, preparar algo para comer? —No sé por qué, pero, a pesar de los infortunios, tenía hambre.

—¡No! —gritó sin moverse.

Y, sin moverme yo tampoco, allí me quedé, sentada en la arena, mirando cómo los hombres del maestre iban dejando sus teas en la hoguera y sacando de los zurrones unos grandes cepillos de carpintería que afilaron con piedras de amolar mientras cantaban madrigales, coplas y malagueñas con gran regocijo. Pese a sus bruscos modales y a sus malos tratos, se veía que eran gentes alegres y bienintencionadas que disfrutaban de la vida. Quizá, me dije, la buena ventura siguiera estando de mi parte, haciéndome caer en manos de quien tenía la solución a mis problemas.

—Ya sé lo que haremos, señora —dijo de repente el maestre, exhalando una gran nube de humo. La Inquisición se había manifestado recientemente contra el tabaco pero de nada parecían servir sus invectivas frente al empeño de los devotos a esta reciente costumbre—. Guardad bien el canuto con vuestros documentos. No volveréis a ser Catalina Solís. Olvidaos de ella. Tierra Firme es una inmensa extensión de costa, un lugar gigantesco en medidas pero muy parco en gentes. Por eso, aquí todos nos conocemos aunque las ciudades y los pueblos se hallan muy distanciados unos de otros. Si Catalina Solís reapareciera viva y entera, vuestro tío y vuestro señor suegro os reclamarían inmediatamente y no podríais escapar de la fatalidad que os han procurado. Vos misma habéis mencionado el hecho de que, desde Trento,[11] la Iglesia está muy preocupada por las costumbres morales del pueblo. Por muy sandio que sea Domingo Rodríguez, a los ojos de la Iglesia es vuestro esposo, de modo que estáis obligada a serle fiel y a yacer con él para concebir un hijo, pues éste es el fin del sacramento matrimonial y, sin duda, el joven es perfectamente capaz de procrear. Tampoco podéis aparecer como Martín Solís porque, del mismo modo, la noticia llegaría a oídos de vuestro señor tío y os reclamaría como único pariente vivo, puesto que Martín aún sería menor, ¿no es cierto?

—Dos años y unos meses nos llevábamos mi hermano y yo —repuse con pena—, así que ahora él habría cumplido quince.

—Lo que yo decía —se reafirmó—. Así que tampoco podéis ser Martín Solís.

—Os repito, señor, que me dejéis en mi isla, que aquí

11. El Concilio de Trento (1544-1554) convirtió el matrimonio en sacramento. Antes no lo era.

vivo feliz y satisfecha desde que arribé y que aquí puedo seguir todo el tiempo que haga falta.

—¡No digáis más necedades, mujer! —me espetó bruscamente—. ¿Cómo vais a quedaros en un pequeño islote de Barlovento a merced de la suerte? ¿Es que no veis que estas aguas están infestadas de piratas ingleses y holandeses que, antes o después, terminarán arribando a vuestras costas como lo he hecho yo? Vuestro islote, señora, no es desconocido a los mareantes, españoles o extranjeros. Esta rada de aguas tranquilas es magnífica para los trabajos de mantenimiento de los barcos y los piratas siempre andan a la búsqueda de lugares como éste para carenar sus naves y para hacer aguada, acopiar leña y distribuir su botín, pues no siempre pueden o quieren llevarlo todo de vuelta a sus países de origen por si los cambios en las leyes o en las guerras alteraran su fortuna. Pensad que no les está permitido atracar en los puertos normales porque serían apresados y ahorcados inmediatamente. Se conducen, pues, como abejas que pican de flor en flor; para ellos, es mucho más seguro disponer sus tesoros en pequeños lotes por estas islas (o por otras como éstas, que muchas hay por todo el Caribe), que llevarlos encima en sus tornaviajes, arriesgándose a topar con un galeón militar español. ¿Lo entendéis? El día menos pensado, podéis caer en manos de piratas o corsarios que os usarán y después os matarán.

—Pues si no puedo ser Catalina ni tampoco Martín, ya me diréis en quién voy a convertirme. Os recuerdo que no tengo fortuna ni oficio, que soy mujer y que no conozco estas tierras.

—Ya he pensado en todo eso —exclamó, ofendido—, y tengo la solución. Como antes os dije, el color de vuestra piel os hará pasar fácilmente por mestizo, coyote o cuarterón, lo que os elimina automáticamente como natural de España. Los indios de por aquí, además, carecen de vello en el rostro.

¡Ahora entendía quién era, en verdad, Esteban Nevares! Él se decía criollo, hijo de españoles nacido en las Indias, pero su sangre estaba mezclada. A lo que parecía, su madre no había sido cristiana vieja sino india y por eso no tenía pelo en la cara y su piel era del color de los dátiles maduros. Esteban Nevares era mestizo.

—La ausencia de vello, por tanto, será una ventaja y como, además, sois cejijunta y peluda en las sienes, así como de carnadura morena, bastante alta, de pelo lacio y fuerte de brazos, podéis convertiros en un hijo ilegítimo mío, uno que tuve con una india hace quince años y que he recogido de los cuidados de su madre durante este viaje para convertirlo en mi heredero. No preocuparos por la verdad o mentira de esta historia. Los hijos mestizos son una realidad a este lado del imperio. Pensad que, cuando llegaron los primeros conquistadores y los primeros colonos, no había mujeres españolas y que muchos de ellos se vieron obligados a tomar por esposas a las hijas nativas de los caciques y que, con ellas, tuvieron hijos que, aunque se dicen criollos y legalmente lo son, en realidad unen en sus sangres la limpieza e hidalguía españolas y la nobleza de los monarcas indios de los que descienden.

A punto estuve de echarme a reír. Esteban Nevares acababa de contarme su propia historia sin referirse a sí mismo. Si, como me había dicho al principio, su padre llegó a las Indias con el almirante Colón en su último viaje, estábamos hablando de los primeros conquistadores y de los primeros colonos, ¿no es verdad?, y por su avanzada edad, su color de piel, su pelo y todas esas cosas que me achacaba a mí, no cabía duda de que su madre había sido una de esas nobles hijas de cacique —fuera eso lo que fuere— que se unieron a los españoles y les dieron hijos. Supuse que aquellos españoles desearían entregar a esos hijos, mestizos o no, sus encomiendas y heredades, así que les dieron la condición de legítimos y los llamaron criollos y se quedaron tan a gusto, sin preocuparse más de la limpieza de sangre, asunto que debió de empezar a inquietar cuando las mujeres españolas hicieron acto de presencia en el Nuevo Mundo muchos años después.

Los marineros de Esteban Nevares acuchillaban ahora el casco de la nave, arrancando los restos del chamuscado y dejando lisos y limpios los tablones de madera del lado de babor.

—¿En qué consisten los trabajos de carenado a los que os habéis referido, señor? —pregunté, interesada.

—¿Es que, acaso, no os ha importado mi propuesta, señora? ¿Queréis ganar tiempo con preguntas para pensar más sobre ello?

Reflexioné un momento y dije:

—Ya había aceptado vuestra propuesta desde el mismo instante en que la expusisteis, señor Esteban. ¿Qué otra cosa puedo hacer? No me disgusta convertirme en vuestro hijo aunque sí abandonar mi condición de mujer, en la que estoy muy a gusto y me reconozco. Bien se me alcanza, sin embargo, que el destino ha marcado los naipes en esta partida y que no puedo sino aceptarlo y resignarme ya que, a no dudar, es lo mejor para mí.

—Habéis hablado bien, señora. A partir de este momento, y con vuestro permiso, pasaré a consideraros como mi hijo, Martín Nevares, y a llamaros y trataros así tanto a solas como delante de todo el mundo para no incurrir en error. Desde ahora mismo, dejaré de pensar en vos como mujer y olvidaré el nombre de Catalina Solís para siempre, ¿de acuerdo?

—Naturalmente, señor. Os estoy muy agradecida.

—No me llaméis señor ni señor Esteban. Es vuestra obligación, aunque os cueste, llamarme padre y actuar como hijo mío en todo momento. Sabed que, aunque, en verdad, nada tengo, no accederéis a mis escasos bienes y posesiones, pero, para el resto de los efectos, seréis mi hijo y responderéis como Martín Nevares. Y lo primero que debéis poner en ejecución es dejar de mirar al suelo y aprender a mirar a los hombres a los ojos, pues hombre sois desde este mismo momento.

Una pena muy honda me entró recordando a mi verdadero padre, pero él estaría conforme con aquella artimaña porque, sin duda, era por mi bien.

—¿Y vuestros marineros... padre? —Me dio tanta vergüenza pronunciar esta palabra para referirme a un desconocido que sentí que me ponía roja como la grana, pero levanté la cara y le miré de frente—. Saben que me habéis encontrado aquí.

—Por ellos no debes tener cuidado, hijo mío —repuso él con un sorprendente aplomo pese a lo incómoda que para ambos resultaba la situación—. Ni tampoco por la dueña que da nombre a este barco, María Chacón, ni por toda su parentela, a la que ya conocerás.

—¿Estáis casado?

—Por la Iglesia como tú, no, desde luego. Pero sí ante mi conciencia y ante la de ella, que es lo que importa. Llevo más de veinte años unido a esa condenada mujer —presumió, poniendo una gran sonrisa en el rostro como si la barraganería fuera el mejor de los estados posibles y, tomando asiento de nuevo, cogió el laúd—. Ni una sola vez lo he lamentado. Aunque, sin duda, la Inquisición me condenaría por ello como hizo con vuestro padre.

Y, rasgueando las cuerdas, empezó a entonar con su bonita voz el mismo villancico que había oído por la mañana desde mi casa:

Soy contento y vos servida
ser penado de tal suerte
que por vos quiero la muerte
más que no sin vos la vida.

Los hombres, al escucharle, dejaron las faenas y se acercaron a nosotros. Unos sacaron de los cestos cuartales y hogazas de pan, otros queso, salpicón de vaca, pescado curado y cerdo salado y alguien más trajo unas botas de vino. Nos sentamos en la arena, bajo el cobertizo, a la redonda —menos el señor Esteban, que siguió en su silla— y, antes de que empezáramos a comer, mi nuevo padre se dirigió a sus hombres:

—Desde hoy mismo y sin más explicaciones —declaró con rotundidad— este joven náufrago se ha convertido en mi hijo, Martín Nevares para vosotros a partir de ahora. Cuando volvamos a Santa Marta, y en todos y cada uno de los puertos en los que atraquemos, si os preguntan, así lo explicaréis a todo el mundo, contando que lo tuve con una india arawak de Puerto Rico que me lo ha entregado en este viaje.

Los hombres asintieron.

—¿Qué dirá la señora María? —preguntó uno de ellos con cierta preocupación.

—Al principio, pondrá el grito en el cielo, como ya supondréis —afirmó el maestre, muy tranquilo—, pero, luego, será más hijo suyo que mío y tendré que protegerlo de sus amores y cuidados para que no me lo ablande.

Los marineros soltaron una carcajada y, entre bromas y veras, empezaron a dar cuenta de la pitanza con gran hambre y contento. Pude entonces, por primera vez, reparar en ellos sin remilgos y escudriñarlos a fondo: de los dos grumetes, uno, Juanillo, era negro y de unos siete u ocho años, y el otro, Nicolasito, era indio y no tendría más de seis; de los ocho marineros, mis dos captores, Antón y Miguel, eran mulatos (Antón era el carpintero-calafate y Miguel el cocinero); el piloto, Guacoa, era indio y casi no despegaba los labios más que para comer, permaneciendo siempre al margen de todo; los otros cinco hombres eran Negro Tomé, el indio Jayuheibo y los españoles Mateo Quesada, natural de Granada, Lucas Urbina, de Murcia, y Rodrigo de Soria, todos buenas gentes y muy diestros en sus trabajos como luego pude comprobar.

Aquella misma tarde, tras la comida, me incorporé a la dotación de la nao como un marinero más. La tarea de carenar consistía, en primer lugar, en quemar con fuego la gruesa capa de percebes y tiñuela que se adhería al casco durante la navegación y que volvía lenta y pesada la nao. Después, con los cepillos de carpintero, se arrancaba esa costra chamuscada y se aplicaba brea y sulfuro a la madera para protegerla de los elementos. Por último, para sellar las tablas y ganar velocidad sobre el agua, había que aplicar una buena capa de sebo maloliente con las manos. Nada me había dicho mi nuevo padre sobre asalariarme, mas, me pagara o no, había disfrutado con el oficio.

Cuando el flujo de la marea volvió a reflotar el barco, nos fuimos a dormir y se me permitió descansar en mi casa de la colina por última vez. Pese a la fatiga y al dolor de las llagas que se me habían abierto en las manos, antes de caer en la cama preparé un hatillo con mis pobres posesiones y me despedí de mis lugares con bastante tristeza. Al día siguiente, al alba, los dos grumetes, Juanillo y Nicolasito, entraron en mi casa para despertarme, ayudarme a cargar con mi mesa-bajel y llevarme de nuevo al trabajo, pues los hombres, aprovechando el primer reflujo, ya habían empezado a chamuscar el lado de estribor del navío que, ahora, descansaba sobre su costado de babor. Trabajamos durante todo el día y, al llegar el crepúsculo, por fin, cuando subió la marea, la nave desembarrancó y salió del arrecife.

Me fui de mi isla tal como llegué: de noche y más molida que un saco de harina pero, en esta ocasión, iba contenta en aquel hermoso jabeque que empezaba a sentir un poco como propio a fuerza de haber trabajado tan duramente en él. Aún no lo conocía por dentro, ni sabía todo lo que había que saber sobre su cargamento, su propiedad y su navegabilidad. A fe que no tenía conocimiento alguno del arte de marear, pero aquel primer viaje en la *Chacona* fue instructivo y revelador. Mientras nos alejábamos, juré que, por mucho tiempo que pasara, algún día volvería a mi isla.

CAPÍTULO II

Impulsados por los fuertes vientos alisios, al día siguiente atracamos en Trinidad y allí, en el puerto, el señor Esteban presentó sus saludos a los comerciantes y a los vecinos de la isla que acudieron ante el aviso de nuestra arribada y, ejerciendo su oficio, les vendió mercaderías de las que llevaba en el barco: para comer, aceite, miel, vinagre, pasas, cecina, almendras, vino, alcaparras y aguardiente, y para otros menesteres, relojes, pinturas, jabón, cartillas de enseñar a los niños a leer y escribir, candiles de hierro, taladros, espejos, tijeras de despabilar, hilos, encajes, sombreros, telas, cuchillos, azadas, palas, peines, letras de canciones y villancicos, almohadas, rejas de arado, guarniciones de mulas y caballos, pliegos de papel, clavazones, hierro viejo, colonias, perfumes, medicinas y, lo más importante de todo, cera para la iluminación de los hogares y las iglesias y lienzos finos de vela para el aparejo de las naos.

Muchas de estas cosas las vendió al trueque pues, según me dijo, los caudales escaseaban en las Indias porque todos los metales se iban para España, tanto el oro y la plata como el cobre, faltando también las perlas que salían a millones de los ostrales de Tierra Firme así como cualquier otra cosa de valor que pudiera usarse como moneda. Por esta razón, zarpamos de Trinidad con unas buenas cantidades de cacao, yeso, carne de res, cocos (que resultaron ser aquellas nueces cubiertas de pelo marrón y con carne blanca y tiesa que yo comía en mi isla), aves de corral, brea y carbón.

Los alisios y las corrientes de la zona seguían la dirección de la costa hasta Santa Marta, así que la navegación era rápida y cómoda y la distancia entre las ciudades se hacía bastante corta. Desde Trinidad, pasando por las despobladas islas de los Testigos, llegamos a Margarita en sólo dos días. El pregonero anunció nuestra llegada y pronto el puerto se llenó de comerciantes y vecinos interesados en nuestros géneros. Mi padre me prohibió bajar a tierra para no correr ningún riesgo con mi señor tío Hernando y me quedé sola en el barco viendo cómo todos se alejaban alegremente en el batel. Aproveché para vaciar la vejiga sin los peligros habituales pues, en el mar, teníamos que subir por la borda hasta el mascarón de proa y colgarnos del aparejo —lo que, por suerte, nos ocultaba de la vista, y a mí me permitía mantener el engaño—, de manera que las olas, al chocar contra el barco, lo fueran limpiando todo.

Me aburrí mucho esperando a que regresaran mi nuevo padre y mis compañeros pero, a lo menos, tuve ocasión de escudriñar toda la nave a mi gusto. La *Chacona* era un viejo jabeque de tres palos sin cofa (el de mesana a popa, el mayor al centro y trinquete a proa, ondeando gallardetes cortos y catavientos), aparejo latino,[1] casco ligero, de una sola cubierta, calado corto, proa

1. Velas triangulares.

alta, toldilla por la que surgía el palo de mesana (y bajo la cual estaba la cámara de mi padre) y tan veloz que era capaz de ganar al punto barlovento sin problemas. Desplazaba unos sesenta toneles[2] de bastimentos y tenía unas treinta varas de eslora, veinte de quilla y algo más de nueve de manga.[3] Su casco, según supe luego, estaba unido con clavazón de bronce y pasadores de madera, siendo así una nave muy buena, muy segura y muy marinera. Bajo la cubierta estaban las bodegas de proa y popa (donde iban las mercaderías), el pañol de víveres, el compartimento de anclas y sogas, y el pañol del contramaestre, usado anteriormente para guardar unas pocas armas y algo de pólvora y, ahora, convertido en mi propia cámara personal. Si los marineros del señor Esteban recelaron algo por este excepcional privilegio de maestre otorgado a un muchacho desconocido, nada dijeron. Ellos dormían en cubierta, a cielo raso, en unas extrañas camas que llamaban hamacas y que compraban a los indios. Las hamacas estaban hechas con finas telas de algodón de dos o tres varas de largo, muy bien tejidas, de cuyos extremos colgaban unos cordeles que ataban a los palos y las jarcias; la cama se suspendía en el aire como un columpio. De día las recogían y plegaban y la cubierta quedaba despejada para las faenas del barco.

La vida a bordo era muy sencilla. Por la mañana, tras despertarnos antes del alba, nos lavábamos un poco en los baldes, desayunábamos, achicábamos el agua que había entrado por la noche, comprobábamos y cosíamos

2. El tonel era la medida de arqueo o capacidad de una embarcación y equivalía a 5/6 de tonelada.

3. 20 metros de eslora (largo), 17 de quilla y 8 de manga (ancho).

las velas (en el mar, no hay paño que aguante) y repasábamos las jarcias. Guacoa, el piloto, era el único que no participaba en estas actividades porque no podía abandonar su puesto en la caña del timón. Después, a media mañana, comíamos. Siempre había agua o vino para beber y galletas de maíz a modo de pan y, luego, unos días tomábamos pescado con guisantes o alubias y, otros, cerdo salado con trigo y cecina. Los domingos, además, queso en aceite de oliva. El mulato Miguel, el cocinero, preparaba la comida en un gran caldero de hierro, sobre una lumbre que prendía a cielo abierto junto al palo mayor. Por la tarde, limpiábamos a fondo la cubierta con vinagre y sal y fumigábamos las bodegas y compartimentos inferiores quemando azufre, de cuenta que no se formasen nidos de ratas ni de cucarachas. Después, cenábamos lo mismo que habíamos comido a mediodía y, antes de ir a dormir, mi padre y sus hombres cantaban canciones acompañándose con el laúd y el pífano (que tocaba el murciano, Lucas Urbina) o jugaban a los naipes unas largas y emocionantes partidas de rentoy, primera o dobladilla que, las más de las veces, terminaban a gritos y golpes contra la mesa. El marinero Rodrigo, el de Soria, había sido garitero[4] en una casa de tablaje de Sevilla durante algunos años y dominaba todos los ardides y fullerías de los juegos de naipes: sabía marcarlos, guardarlos fuera de la vista, añadirlos durante la partida, disponerlos de tal modo que saliera el más favorable, cambiar un mazo por otro, engañar al cortar, varias maneras para hacer señas y otras tantas para conocer la

4. Responsable de un garito o casa de juego (casa de tablaje en la época).

mano del contrario. Por eso nunca le consentían participar y se limitaba a ejercer de árbrito en las disputas, que eran muchas e incesantes. Menos mal que no jugaban a estocada, apostando caudales, pues podría haber acaecido alguna desgracia.

Por fortuna, aquella larga jornada de soledad en el puerto de Margarita terminó al atardecer, cuando el batel regresó a la nao cargado con agua para el viaje y con las nuevas mercaderías cobradas al trueque: maíz, mijo, yuca, patatas, piñas..., todas ellas desconocidas para mí pero muy sabrosas y nutritivas según pude comprobar en los días siguientes, cuando Miguel las añadió a las comidas. También había algodón, tabaco y café en no muy grandes cantidades porque, al parecer, eran artículos escasos y muy valiosos. De todas estas pequeñas transacciones mercantiles en los puertos que realizaban los mercaderes de trato, la Corona se quedaba una parte muy importante. Mi padre tenía que pagar muchos impuestos pero los más gravosos eran el almojarifazgo, el diezmo y la alcabala, que se llevaban un buen bocado de cada negocio. Puede que las ciudades fueran apenas un pequeño grupo de casas de barro y madera, que no hubiera soldados ni cañones para defenderlas de los ataques piratas, que los colonos no tuvieran comida que llevarse a la boca ni ropas que ponerse, pero lo que sí había, sin excepción, era uno o dos oficiales de la Real Hacienda encargados de la aduana que no dejaban entrar o salir ni una gallina si no pagaba el previo arancel.

—Yo creía que estas tierras eran ricas —le dije a mi padre esa noche—, pero, a lo que se ve, aquí hay tanta miseria y necesidad como en España. ¿Por qué las gentes carecen de todo?

—Porque las flotas anuales no llegan cuando tienen que llegar —me respondió, dejando un momento de lado a Guacoa, el piloto, que discutía con él algo sobre la derrota[5] hasta Cubagua, nuestro próximo destino—. Sólo España puede surtir de toda clase de abastos los mercados de las Indias. Ningún otro país tiene permiso para mercadear aquí, de cuenta que, si los productores españoles no están en condiciones de cargar las naos suficientemente para proveernos o si se reciben noticias de barcos piratas en las rutas de las flotas, éstas se retrasan hasta estar completamente cargadas o hasta que la amenaza inglesa, francesa o flamenca desaparece y, en el entretanto, aquí nos falta de todo.

—Pero de aquí salen montañas de oro, plata y perlas para la Corona —objeté—. Algo se quedará.

—Te equivocas —repuso, muy serio—. Los colonos de estas poblaciones siempre están muy necesitados de todo. ¿Para qué les serviría el oro si no hay nada que comprar? Además, si tuvieran oro o plata o perlas o, incluso, gemas preciosas, que también las hay, los piratas se las quitarían durante sus habituales asaltos a las villas. La poca o mucha riqueza que pudiera quedar se gasta en las guerras contra los indios, pues la Corona no aporta suficientes naves, ni soldados, ni armas, ni pólvora, ni construye suficientes guarniciones para defender a sus súbditos de los ataques de las tribus que aún no han sido conquistadas, ya que debe sufragar sus guerras por la fe católica en Europa. Todo lo pagan los vecinos con sus propios caudales y añádele que, aunque las tierras son muy buenas para las labranzas y las crianzas, los pobladores no pueden acceder

5. Rumbo o dirección de un barco.

a ellas porque pertenecen a unos pocos y ricos encomenderos a quienes la Corona se las dio y que sólo están interesados en la búsqueda del oro y la plata. Por más, si algo faltare para aumentar la miseria de estas tierras y de sus lugareños, los escasos frutos del trabajo propio, como el mío, pagan unos impuestos altísimos a la Real Hacienda. Así que nada queda, en verdad, para los colonos.

En Cubagua ya me encontré más suelta en los trajines del comercio y el manejo de la balanza de cruz. Bien es verdad que allí no quedaban apenas vecinos pues los ostrales se habían agotado recientemente y las gentes abandonaban sus casas en busca de otros sitios donde mejor vivir, pero yo me sentía como una reina (o como un rey), mercadeando nuestros géneros junto a mi padre. Cubagua era famosa por la habilidad de sus indios guaiqueríes para la pesca de perlas.

—Que te cuente Jayuheibo —le animó mi padre durante la cena—. Él es de aquí.

Jayuheibo, el marinero, levantó la mirada de su plato y echó una ojeada hacia la isla por encima del costado de babor. Un gran calvario de piedra se divisaba en la distancia. Lo mismo que al piloto Guacoa, al marinero Jayuheibo no le había oído hablar en demasiadas ocasiones. Ambos indios eran gentes calladas y muy suyas, aunque Jayuheibo se reía más y convivía más con sus compadres que Guacoa, quien siempre andaba a solas, con el rostro serio y en silencio. Sin duda, era un piloto excelente que no necesitaba ni portulanos ni cartas de marear para conducir la nave, orientándose de día por el sol y de noche por las estrellas, pero su silencio y maneras cautas me producían una cierta inquietud. Jayuheibo, el indio guaiquerí, actuaba de otra manera.

—Nadábamos bajo el agua todo el día —empezó a explicarme, roncamente. Era un hombre no demasiado mayor, de unos veintisiete o veintiocho años, de pronunciada nariz aguileña—. Todo el día, sin descanso... —repitió, melancólico—. Desde la mañana hasta la puesta de sol. Cogíamos las ostras de hasta cuatro y cinco brazas[6] de profundidad y sacábamos las redecillas llenas, a reventar, como nuestros pulmones. Muchos amigos y familiares nunca tornaron a salir por culpa de los tiburones y los marrajos de estas aguas. El encomendero de la pesquería nos obligaba a zambullirnos sin descanso —añadió con rencor.

—Jayuheibo es un buzo excelente —comentó mi padre con alegría—. Y también un hombre libre. Ahora es un leal súbdito de la Corona y un buen hijo de la Iglesia.

Tras unos instantes de silencio, todos soltaron una gran carcajada, incluso el propio Jayuheibo y hasta Guacoa, y entonces comprendí la ironía que encerraban las palabras de mi padre. No tardé mucho en descubrir que los más sufrientes en el Nuevo Mundo eran los indios, diezmados hasta casi la extinción por las enfermedades llegadas desde Europa y el Oriente y consumidos por el excesivo trabajo en que los ponían sus encomenderos. El sistema de encomiendas funcionaba en todas las Indias y consistía en que los nativos conquistados eran repartidos por la Corona entre caballeros y nobles españoles de prestigio reconocido. Los indios estaban obligados a trabajar para ellos a trueco de salario, manutención y doctrina cristiana y, de este modo, se obtenían los obre-

6. Equivale a la longitud de un par de brazos extendidos, de ahí el nombre. La braza española es igual a 1,67 metros.

ros necesarios para explotar las riquezas del Nuevo Mundo. Aunque, según la ley, los indios eran hombres libres, en el uso de esta ley los encomenderos los trataban como a esclavos de ningún valor pues nada costaban, mientras que a los negros había que comprarlos y pagarlos en los mercados.

Manteniendo el curso de los vientos, desde Cubagua, pasando por Cumaná, llegamos a La Borburata, sitio excelente aunque poco poblado por culpa de los constantes asaltos piratas, en cuyo puerto numerosas tripulaciones realizaban reparaciones en sus naves, se avituallaban de viandas, se solazaban y hacían aguada en el cercano río San Esteban. Allí trocamos nuestros artículos por otros de tan extraña naturaleza como los que habíamos adquirido en los puertos anteriores, y se convirtió en mi preferido un riquísimo fruto llamado banano. También compramos sal y naranjas.

Desde La Borburata, al cabo de cuatro días, alcanzamos las islas de Coro, Curaçao y Bonaire, donde llenamos el barco de azúcar, jengibre, miel, trigo, maíz, carne, sebo y cueros. Yo no había probado nunca el azúcar y me pareció un condimento sabroso al que me aficioné con presteza. Las aguas, aquí, eran mucho más agitadas y violentas que en el resto de la costa. Terribles arrecifes de coral amenazaban los cascos de las naos y Guacoa tuvo que demostrar su gran maestría y su buen discernimiento bogando por las ceñidas brechas de las barreras coralinas hasta las bahías de los puertos. En Curaçao vi por primera vez a mi padre rechazando el comercio de negros.

Un bonaereño a quien él conocía de otros mercados estaba ofreciendo, a buen precio, seis valiosas piezas de

Indias:[7] dos hombres, dos mujeres y dos muchachos, negros todos de la costa de Guinea.

—No practiques nunca este nefando comercio —me susurró al oído—, pues no es digno de personas de bien poseer a otras en condición de objetos. La naturaleza hizo libres a los humanos sin reparar en el color de la piel.

Y, diciendo esto, se allegó hasta los negros y, con un gesto brusco, le rompió los botones de la camisa a uno de los hombres, dejándole el torso al descubierto.

—¿Dónde está la marca del hierro? —gritó al vendedor, con grande enojo—. No veo en este esclavo la carimba del Real Asiento. ¿Cómo osáis vender piezas ilícitas que no han pagado sus impuestos a la Corona? ¡Oficial! —llamó al funcionario de la aduana que paseaba por el mercado comiendo unas frutas que llevaba en la mano—. ¡Oficial!

—¡Largaos de aquí! —le espetó el vendedor de piezas—. ¡Siempre estáis armando jaleo a donde quiera que vayáis, Esteban Nevares!

—Quedad con Dios, señor Alonso López —repuso mi padre muy ufano, haciendo un gesto al oficial real para que no acudiese a su llamada.

El carpintero Antón Mulato, el cocinero Miguel Malemba, el marinero llamado Negro Tomé y el joven grumete Juanillo Gungú miraron a mi padre con adoración. En aquel instante supe que darían su vida por él sin pensarlo dos veces. Y lo mismo comprobé en los días subsiguientes respecto a toda la tripulación. Por razones

7. Así se llamaba a los esclavos negros entre los quince y los treinta años de edad que mostraban buenas condiciones físicas y de salud.

como ésta —y por otras que ya contaré—, respetaban a mi padre más allá de lo que cualquiera se pudiera imaginar. Esteban Nevares era un hombre profundamente honrado y digno, de recta conciencia, que sufría y se soliviantaba ante las injusticias.

Zarpamos de Curaçao, pasando cerca de Aruba, de Maracaibo y de Cabo de la Vela sin atracar y, tras dos días de travesía con fuertes vientos del noroeste, llegamos a Río de la Hacha. Ya estábamos muy cerca de Santa Marta, me previno mi padre una tarde, y la señora María estaría oliendo nuestro barco desde casa y comenzando a preparar el recibimiento.

—¿Y cómo sabe cuándo vamos a llegar? —pregunté, sorprendida.

—Nunca, en veinte años, he conseguido averiguarlo —repuso mi padre sujetándose a las jarcias para avanzar hacia el palo del timón—, pero jamás se ha equivocado.

Río de la Hacha era un poblado perlífero muy importante donde mercadeamos por cerca de treinta y cinco pesos de a ocho reales de plata o, lo que es lo mismo, casi diez mil maravedíes. El pregonero convocó a los colonos a la playa y, como hacía algunas semanas que no arribaba ningún otro mercader, mi padre hizo un excelente negocio que celebramos bebiendo ron en una de las tabernas del lugar. Aquel día aprendí varias cosas: la primera, que el ron era una bebida muy rica hecha de la caña del azúcar; la segunda, que en las tabernas no había comida, sólo vino, ron, chicha y aguardiente, y que, por ese motivo, las frecuentaban vagos y maleantes; la tercera, que en las tabernas los hombres no hacen otra cosa que hablar de disparates y majaderías mientras permanecen sentados en los bancos o en las sillas; y, la cuarta y última, que, bien por ser mujer o bien por la falta de costumbre, yo no podía beber tanto como mi padre y mis compañeros. No recuerdo cómo acabó la tarde, ni cómo llegué al barco, ni tampoco cómo me eché en mi camastro y me tapé con la frazada. Sólo sé que al día siguiente, rumbo ya hacia Santa Marta, me dieron tantas ansias y bascas que revolvióseme el estómago muchas veces y vomité las tripas por la borda como si tuviera calenturas pestilentes y que sufrí de un dolor de cabeza tal que el batir de las olas contra la nao parecíame un tambor retumbando en mis orejas. Recuerdo haber vislumbrado una costa de barrancos de arcilla roja mientras nos alejábamos de la población de Río de la Hacha.

—¡U'munukunu! ¡U'munukunu![8] —gritó Guacoa una tarde mientras yo hacía mi guardia de cuatro horas y los demás limpiaban la cubierta. Con un brazo extendido señalaba hacia unas inmensas montañas, las más grandes del mundo sin duda, que se dibujaban contra el cielo.

Los hombres soltaron gritos y exclamaciones de júbilo y abandonaron sus tareas para dirigirse al costado de la nao y observar aquellas gigantescas cumbres. Una pequeña isla se destacaba frente a nosotros. Guacoa viró para ingresar por una escondida abertura entre la isla y la costa y, al punto, doblando un recodo rocoso sobre el que destacaba una ermita, entramos en una hermosa bahía de aguas color turquesa con una bella playa en forma de concha marina tras la cual se descubría un vi-

8. Nombre indígena tayrona de la Sierra Nevada de Santa Marta, la cadena montañosa litoral más alta del mundo, con 5.775 metros de altitud en su pico más elevado.

llorrio formado por filas de casas bajas hechas con bejuco y paja. Alrededor de las casas había un llano muy amplio y, después, la selva virgen, espeso y cerrado manto verde que ascendía presurosamente por las faldas de las montañas hasta las inmensas cumbres nevadas que rodeaban Santa Marta.

Mi padre, que ya me había tomado un cierto aprecio, se acercó hasta mí y puso su mano en mi hombro.

—Esa pequeña isla que acabamos de pasar es el Morro. Esta bahía en la que nos hallamos es la Caldera. Esas montañas que Guacoa ha llamado U'munukunu son la Sierra Nevada. Ése de allí —dijo señalando la desembocadura de un río que, bajando desde la sierra, se veía a la derecha del pueblo— es el Manzanares, que corre en dirección suroeste, bautizado así por uno de Madrid que pasó hace años por estas tierras. Como estamos en la estación seca, viene poco crecido, pero ya lo verás en sazón en los meses que van de junio a octubre, durante la temporada de lluvias. Pronto visitarás las ciénagas y los pantanos que se encuentran al otro lado del Manzanares. Son los más grandes del mundo. Esta ciudad, hijo, es la primera ciudad que se fundó en el Nuevo Mundo. Cumaná dice serlo, pero yerra. La primera fue Santa Marta, en el año de mil y quinientos y veinticinco, por el conquistador Rodrigo de Bastidas. Antes éramos más vecinos pero, tras tanto asalto pirata, sólo quedamos sesenta. —Mi padre pareció enfadarse mucho de repente—. ¿Sabes...? Santa Marta ha sido incendiada y arrasada en numerosas ocasiones por piratas ingleses. Hace sólo cinco años, el corsario Francis Drake atracó aquí, en la Caldera, saqueó el pueblo y le prendió fuego. Sólo mi casa y la del gobernador permanecieron en pie. Aún no nos habíamos recuperado del desastre cuando, poco después, ese mismo año, recibimos la desagradable visita de Anthony Shirley, otro maldito inglés que nos robó lo poco de valor que nos quedaba.

Avanzando en línea recta y recogiendo velas, la *Chacona* enfiló hacia el muelle, donde había otros dos barcos atracados (una carabela y una carraca), y todos nos dispusimos para las maniobras de acercamiento. La gente del pueblo comenzó a llegarse hasta la playa en pequeños grupos.

En cuanto anclamos el barco y pusimos la plancha, mi padre, bajando por ella, se plantó en un santiamén en el amarradero para saludar a los vecinos que se lanzaron a estrecharle la mano y a darle golpecitos de bienvenida en los hombros y en la espalda. Él cumplía respondiendo con grandes sonrisas, como un rey que se deja agasajar por su pueblo. Mis compadres, desde la cubierta, agitaban los brazos e iban y venían de un lado a otro terminando prestamente las faenas por las muchas ganas que tenían de desembarcar. Yo no sabía lo que debía hacer. Sin duda, me dije, seguir a mi padre adondequiera que fuera intentando pasar a su lado lo más desapercibida posible.

—¡Vecinos, mirad! —gritó el señor Esteban alzando un brazo hacia mí, que asomaba medio cuerpo por la borda—. ¡Aquí tenéis a mi hijo, Martín Nevares!

Una mujer esbelta, de gallardo cuerpo, ancha de cara, de nariz afilada y unos cuarenta y tantos años, vestida con unas sayas de color amarillo, una camisa blanca y un corpiño sobre el que lucía una bonita pañoleta de seda, se acercó lentamente hacia mi padre con un gesto agrio en la cara.

—¿Y cuándo habéis tenido vos un hijo sin que yo me haya enterado? —preguntó a voz en cuello, provocando que muchos de los vecinos tomaran las de Villadiego con paso apresurado.

Mi padre la miró y sonrió.

—¡Qué placer volver a veros, mi dueña! —exclamó abriendo los brazos como un crucificado.

—Repito mi pregunta, señor, por si no me habéis oído —insistió la mujer con tono amenazador; el número de vecinos que huía ya en desbandada era impresionante—. ¿De dónde ha salido este hijo del que yo nada sabía hasta el día de hoy, ignorante de mí?

Mi padre, sin dejar de sonreír, caminó con paso resoluto hacia ella y, quitándose el chambergo negro, le hizo una elegante reverencia.

—Vamos, señora, hacedme la merced en buena hora de dejar las preguntas para luego y recibidme como siempre, con alegría y contento.

—¡Pero qué alegría ni qué contento pedís, mercader del demonio! Pues, ¿no me asegurabais, acaso, que jamás me habíais hecho alevosía, rufián perjuro?

En toda mi vida no había escuchado una discusión semejante entre un hombre y una mujer y, aún menos, en la calle, delante de otras gentes. Mis padres, desde luego, nunca discutieron de manera tan soez y grosera. Pero lo sorprendente era que, a lo que yo sabía, ni siquiera estaban casados.

—Martín —me dijo mi padre con satisfacción—, ésta es la distinguida María Chacón, la bella dueña de mis más escondidos pensamientos, reina y señora mía hasta mi muerte, a la que tengo dada fe desde el mismo día que la conocí.

Los dos o tres valientes curiosos que se habían quedado para contemplar la escena la seguían mudos y pasmados, lo mismo que yo, que había perdido el habla viendo el valor con que mi padre seguía diciendo zalamerías a la fiera que, con los brazos en jarras y gesto adusto, esperaba silenciosa una satisfacción. Mis compadres, en el barco, se habían reunido en torno al palo mayor, lejos de la vista de la tal María Chacón en el amarradero. Empecé a preocuparme de verdad. El señor Esteban, echando una larga mirada a la concurrencia, dijo:

—Hace quince años, mujer, visité cierta noche a una india arawak de San Juan de Puerto Rico, criada de un hombre principal, que se quedó preñada aquel día según me ha dicho y que tuvo un hijo mío al que llamó Martín. Éste es aquel hijo —afirmó, señalándome teatralmente con el dedo— y como tal le debéis considerar y apreciar.

La dueña —aunque, hablando debidamente, no era dueña porque no estaba casada— le miró de hito en hito, recelosa, y, luego, levantó la vista para mirarme a mí. Así estuvo un buen rato, con los ojos del uno a la otra hasta que se cansó y, dando un altivo respingo, giró sobre sus chapines y empezó a marchar hundiendo con fuerza los pies en la arena de la playa.

—¡En la casa os espero, señor! —le dijo a mi padre—. ¡Tenemos que hablar!

—Como gustéis, señora —repuso él, muy satisfecho.

Mis compañeros, entretanto, con evidentes gestos de alivio, se pusieron en marcha de nuevo, unos subiendo de las bodegas los avíos y bastimentos perecederos que iban a quedar en el almacén de la tienda y otros limpiando y ultimando las tareas de la nao y recogiendo sus bártulos.

—¡Baja, Martín! —me ordenó mi padre desde tierra.

Me calé mi precioso chambergo rojo y, rauda como una centella, me planté a su lado en el amarradero. Él seguía sonriendo con gran satisfacción.

—Todo ha salido a pedir de boca —me dijo, poniendo nuevamente la mano en mi hombro y obligándome a avanzar así hacia el poblado.

—¿Estáis seguro, padre?

—Tú no la conoces como yo —repuso—. Es más lista que el hambre y ten por cierto que, a estas alturas, ella sola ha descubierto casi toda la verdad. Le falta alguna información, que es la que me va a pedir en cuanto entremos en la casa, pero estate tranquilo porque ella ya sabe que no la he engañado y que la historia no es cierta.

Con mi padre apoyado como un ciego en mi hombro avanzamos por la playa, dejando atrás el muelle y entrando, directamente, a la plaza de la villa, de planta cuadrangular, con casas a derecha e izquierda y el edificio del cabildo enfrente, mirando hacia el mar —hacia el noroeste, por donde el sol se estaba ocultando—. Pronto no habría luz en las escasas seis calles que tenía la ciudad.

—Mañana acudiremos a presentar nuestros respetos a don Juan Guiral —anunció mi padre—, actual gobernador y capitán general de esta provincia. Si no se encuentra en alguna de sus tenaces campañas contra los indios chimillas, le pondré en conocimiento de tu llegada y avecindamiento en este pueblo.

Pasamos junto al cabildo y nos adentramos en el pequeño damero de estrechas callejuelas polvorientas como si fuéramos a salir de la villa por el lado contrario. Mas, justo cuando ya veía las sombras de la selva frente a mí, mi padre giró a la derecha y se detuvo frente al portalón de la única casa que, aparte del cabildo, estaba construida sobre pilares de cal y canto, con paredes de argamasa blanca y cubierta de tejas. Sin duda era la más lujosa y grande de Santa Marta, por lo que yo llevaba visto hasta entonces, y ocupaba el espacio de tres o cuatro de las otras. Por aquí se veía una puerta de madera que mi padre me dijo que era la puerta de la tienda y por allá, otra más lejana, abierta, y de la que salían música y risas.

—El negocio de la señora María —me explicó mi padre con una sonrisa.

—¿Negocio? —me extrañé.

—María es la madre de esta mancebía, la más famosa del Caribe. ¿No viste dos grandes barcos atracados en la rada?

Hubiera querido contestar pero no podía: me había quedado de una pieza al saber que la tal María era una prostituta que regentaba un negocio de mozas distraídas. Nunca había conocido a ninguna de su clase en persona y, por lo que el ama Dorotea me había contado, eran mujeres terribles, deformes y viejas, a las que su abundante comercio carnal con los hombres había vuelto varoniles, con barba en la cara, espaldas anchas y nuez en la garganta.

—Pero... pero, padre —balbucí—. Ella os exigía lealtad en el muelle.

—Y yo a ella desde que está conmigo —respondió él muy contento—. Ya te he dicho que es su negocio, no su oficio. Para que lo sepas, María fue la manceba más considerada de Sevilla durante diez años. En su propia casa recibía a importantes mercaderes, nobles, clérigos, hombres de alcurnia y hasta de las Armadas Reales. Ganó más caudales en aquellos tiempos de los que he ganado yo en toda mi vida.

Habíamos entrado en el zaguán y se veían los recios horcones de madera negra que sujetaban las gruesas vigas. Era una casa magnífica, fresca, limpia y con plantas por todas partes. La música y los gritos de la mancebía se oían de lejos, al otro lado de la pared. Una mula y un gigantesco caballo zaino, amarrados a una argolla, masticaban remolonamente granos de maíz. Mi padre se acercó hasta ellos y los acarició con afecto.

—Mira, hijo, éstos son *Ventura*, la mula, y *Alfana*, el corcel, mis dos caballerías. ¿Sabes montar?

—No, señor.

—Pues pronto aprenderás —anunció, acercándose a mí y poniéndome de nuevo la mano en el hombro para dirigirme hacia la entrada de la vivienda.

Accedimos a un inmenso salón que se extendía a derecha e izquierda y en cuyo centro se veía una prolongada mesa de madera con candelabros cortos en los extremos. También había, aquí y allá, candelabros de pared. En todos ellos las velas ardían e iluminaban muy bien la estancia, cuyo suelo era de tierra húmeda y dura. Junto a los muros cubiertos de tapices había sillas de tijera de hierro y cuero, pequeñas ménsulas, bargueños y taquillones, de cuenta que el lugar parecía muy distinguido y elegante. ¿Era aquélla la casa de un mercader y su barragana? Además, si no recordaba mal, el señor Esteban me había dicho, en mi isla, que no poseía nada. Si nada tenía, como había afirmado, ¿a qué tanto lujo?

—María debe de estar esperándonos en su despacho —murmuró mi padre, conduciéndome hacia una puerta que había a la izquierda del salón.

No se oía otra cosa que el zumbido constante de las moscas, tal era el silencio en el que se hallaba sumida aquella parte de la morada. Si la tal María Chacón estaba en conocimiento de nuestra llegada desde días antes por algún tipo de magia o misteriosa intuición y organizaba siempre unos recibimientos muy alegres, qué duda cabía que había hecho desaparecer como por ensalmo las huellas de cualquier festejo que nos hubiera preparado.

Mi padre abrió la pesada puerta del despacho y entramos. Los asuntos que atendía una mujer como ella en aquel aposento eran algo que yo no podía ni imaginar.

Sentada tras un escritorio de madera oscura donde brillaba la lumbre de un candil, la señora María nos contempló expectante, aspirando el humo de una bonita pipa de cazoleta diminuta y caña muy larga. Un mono pequeño, de pelaje pardo claro (o, quizá, canoso), se balanceaba sobre su hombro y, de vez en cuando, la abrazaba fuertemente por el cuello, como asustado.

—Siéntate allá —me mandó mi padre, empujándome hacia un banco de madera tallada que quedaba frente al escritorio, bajo una ventana por la que se colaba la luz y la música de la habitación contigua. Él tomó asiento al otro lado de la mesa, en una silla de brazos tan señorial como la de la señora María y, entonces, el mono, con un grito de alegría, dio un salto muy largo y pasó del hombro de ella al hombro de él. Debía de estar muy ciego si no le había visto antes, de modo que tenía que ser bastante viejo.

—¡Hola, *Mico*! —le saludó mi padre, acariciándole el lomo. El animal se le subió por la cabeza, pasó al otro hombro, regresó al anterior y, dando un nuevo salto, tornó con su ama. No pareció percatarse de mi presencia.

—Nunca llegas hasta Puerto Rico en tus viajes —empezó a decir la mujer, dejando la pipa en un platillo de barro y cruzando los dedos de las manos sobre la mesa—, y serías el mejor de los mentirosos del mundo si hubieras logrado hacerme creer una historia tan absurda como la de esos amoríos de una noche con una criada india que, de buenas a primeras, te entrega un hijo de quince años. ¿Y qué decir de esa larga y profunda mirada hacia el corro de vecinos que te escuchaba...? Me suena todo a conseja de vieja, a patraña y a embuste, Estebanico. ¿Quién es este mestizo que no se te parece ni en el blanco del ojo?

Mi padre se echó a reír con gusto, cosa que pareció afrentar a la señora María, que se puso en pie y, cogiendo el candil con una mano y dejando al mono sobre el respaldo de su silla, se allegó hasta mí como un tornado.

—¡Levántate, muchacho! —me ordenó de malos modos.

Yo, sólo de pensar que tenía delante a una antigua prostituta de Sevilla y, por más, madre de mancebía, creía morir de espanto. ¡Si mis buenos y verdaderos padres pudiesen verme en ese momento!

—¿Es que no me has oído? —repitió, acercándome la llama al rostro mientras el señor Esteban seguía riendo a sus espaldas.

—Sí, señora —proferí nerviosa, abandonando el sombrero en el asiento e incorporándome con diligencia.

—Tu pelo... —dijo levantando el brazo hasta mi altura y pasándome una mano por la cabeza—. Tu pelo, aunque lacio, es demasiado sedoso para ser de indio y tu frente demasiado redonda y tú mismo eres demasiado agraciado para ser... Tienes buena apostura y gentiles maneras... Por fuerza, por... fuerza... ¡Eres una mujer!

Miré a mi padre en busca de ayuda pero él seguía riéndose con tal ímpetu que parecía que iba a reventar.

—Sí, señora —musité, muerta de miedo. Y es verdad que las piernas me temblaban y que no iban a sostenerme mucho más tiempo.

—¡Una moza! —exclamó, escandalizada—. Y debes de tener unos diecisiete o dieciocho años como poco, ¿no es verdad?

—Sí, señora.

—¡Estebanico! —gritó, volviéndose hacia mi padre, que ya no podía más y se doblaba por las ijadas riendo a lágrima viva. Al verle en ese estado, la señora María se acercó a la mesa, recogió bruscamente su pipa, se la puso en la boca y, dándole la espalda muy ofendida, se encaró conmigo—. Vamos a ver, niña... ¿De dónde demonios has salido tú...? ¡Esteban, deja de reírte o márchate de aquí ahora mismo!

Pero él no hizo ni lo uno ni lo otro. Siguió disfrutando de buen grado mientras yo le contaba a la tal María —que acabó sentándose junto a mí en el banco de madera— toda mi historia y la historia del rescate en mi isla apenas dos semanas antes. Cuando terminé de hablar, mi padre, por suerte, se había sosegado y nos escuchaba.

—¿Lo entiendes ahora, mujer? —dijo cuando acabé mi relato—. Esos bribones de Hernando Pascual y Pedro Rodríguez la han casado con el pobre tonto de Domingo. No debía consentir semejante desafuero, ¿no es verdad? Lo único que se me ocurrió para socorrerla fue convertirla en hijo mío y traerla aquí para ponerla bajo tus cuidados.

¡No pensaría mi padre que yo iba a trabajar en la mancebía, ¿verdad?!, me alarmé. Mas, al girar los ojos aterrados hacia la señora María, vi que dos lágrimas le caían por la cara.

—Nunca será como... —sollozó, tapándose los ojos con una mano y dejando descansar la otra, con la pipa humeante, sobre las sayas—. Lo sabes, ¿verdad?

—Pues claro, mujer —admitió él, levantándose de su silla e hincando una rodilla frente a ella mientras le quitaba la mano de la cara y se la acariciaba—. Nunca. Mas puede ser una buena compañía para ambos si decides ayudarnos en esta empresa. Debes olvidar que se trata de una mujer y tratarla como a un muchacho hasta que su matrimonio con Domingo Rodríguez se resuelva de algún modo. Sin duda, la dan por muerta pero, si reapareciere, estaría perdida. Ya buscaremos remedio.

La señora María se soltó de él y se secó las lágrimas.

—¡Sea! —admitió—. Pero que no crea que va a llevar una vida regalada a nuestra costa. Bastantes problemas tenemos ya. Búscale algún trabajo, Esteban, algo apropiado para un muchacho que sea, al mismo tiempo, decoroso para una joven de buena familia.

—Déjalo en mis manos, mujer —convino él, incorporándose. Ella también se levantó y, al punto, se quedó quieta en mitad de la sala, observándome con muda reserva. No me resultaba grato sentir la mirada fija de aquellos ojos, tan negros que no permitían advertir la pupila. Me revolví en el asiento, enojada, y pareció que mi gesto ponía fin a su ensalmo.

—Una cosa más, muchacha —murmuró, cavilosa—. Quien denunció secretamente a tu padre ante la Inquisición fue tu querida ama Dorotea.

—¿Qué decís? —repuse, agraviada. ¿Estaba loca aquella mujer?

—Sin duda fue por afecto hacia vuestra madre y hacia vosotros dos —comentó con lástima—. La poca sal de su mollera la llevó a creer que, si los curas le daban un buen susto a tu padre, él se tornaría un sincero y devoto cristiano. Las mentes simples casi siempre yerran en sus juicios. —Tengo para mí que hablaba con un tonillo de superioridad—. Fue ella la que os enseñó a rezar a tu hermano y a ti cuando erais pequeños porque en vuestra casa las oraciones y las beaterías estaban prohibidas por vuestro padre. A sus ojos, él era un gran pecador que ponía en peligro vuestras almas. Algo tenía que hacer si, además, veía sufrir a tu madre por sus traiciones. No se lo reproches. Ciertamente la idea no fue de ella y, desde luego, no contaba con que iba a acaecer todo lo que luego acaeció. Ella no deseaba que tu padre enfermase y muriese, ni tampoco que tu madre se quitara la vida. Sólo quería, influida de seguro por los encendidos sermones de los curas tridentinos de Toledo, que tu padre dejara de pecar y tornara al seno de la Iglesia y que vosotros recibierais una buena educación cristiana. La delación secreta debió de ser idea de su confesor o de algún otro clérigo de su parroquia.

Yo sacudía la cabeza, incrédula. ¿Dorotea...? ¿El ama Dorotea nos había causado todo aquel mal...? Cierto que las palabras de la señora María parecían firmes y valederas pero, si así era, también dolían. Y mucho.

—Sosiégate, Martín —me solicitó mi padre, apenado—, que María sólo es una persona discreta y larga de entendimiento que sabe poner las cosas en su punto. Ya te acostumbrarás. Siempre lo hace. No se lo tengas a mal porque no ha querido hacerte daño.

—¿Y tengo que llamarla Martín ahora que ya la veo como mujer? —se quejó la señora María, recogiendo al mono antes de salir de la estancia.

Aquella primera noche dormí sobre un colchón lleno de pellas que ambos me pusieron sobre cuatro tablas lisas apoyadas en dos bancos. Esa primera cama me la hicieron en la pequeña sala que había entre sus dos aposentos, situados al fondo de la casa, pasado el gran salón. El servicio, me explicó la señora María, estaba ocupado con otros negocios en aquel momento y supe así que las mozas distraídas de su mancebía eran también sirvientas e hijas de aquella gran morada pues a ella la llamaban madre sin ningún recato y con grandes confianzas. Al día siguiente, María Chacón me asignó una pequeña habitación contigua a la suya a la que se accedía desde su despacho pero que se encontraba, hablando con propiedad, dentro de la mancebía. La dueña ordenó que se cegara la segunda puerta, la que daba al negocio, y que se cambiase la decoración del cuarto por unos muebles más sencillos, austeros y acordes con un joven de buena educación. Mi mesa-bajel ocupó un lugar de privilegio: lejos estaba yo de sospechar, cuando flotaba en el océano o me cubría del sol en la playa, que pasaría en ella largas horas de estudio porque mi nuevo padre consideró que el mejor trabajo para mí eran los libros y las cuentas.

Resultó que Lucas Urbina, el marinero de Murcia que tocaba el pífano, había ejercido, entre otros muchos oficios por todo lo descubierto de la Tierra, el de maestro de primeras letras en una escuela de La Habana, en

Cuba, de donde marchó porque, según me dijo, le asalariaban muy mal, mas se notaba que el desempeño le gustaba porque todos los días, sin faltar ninguno, abandonaba puntualmente el cuarto en el que convivía con una de las mozas del negocio, Rosa Campuzano, y cruzaba el despacho de la señora María y el gran salón para esperarme, con una solemnidad que no le conocíamos en el barco, en el despacho del señor Esteban, componiéndose las espesas barbas y pasando las hojas de los libros y las cartillas que mi padre entregaba de grado para mi educación.

Las mancebas de la señora María, cuando me vieron, convencidas de que era un muchacho y, por más, hijo del señor Esteban («¡Cómo se os parece, señor! Tiene la misma cara que vuestra merced. Nadie podría negaros vuestra paternidad»), me hicieron muchas bromas y carantoñas y alguna hubo que, además, intentó conquistarme para sí durante mis primeros días en aquella casa de locos, aunque, luego, viendo mi resistencia, pasara a mostrarse molesta y ofendida sin haber hecho yo nada para dar pie a su enojo.

El mes de marzo principió y me halló concentrada en mis estudios. Por más de las primeras letras y los números que me enseñaba el de Murcia, mi señor padre decidió que también debía aprender a montar y a manejar la espada, para lo cual, primero con *Ventura*, la mula, y luego con *Alfana*, el corcel, me mandaba al amanecer a dar grandes vueltas por la planicie que rodeaba el pueblo. Luego, dispuso que el marinero Mateo Quesada, el de Granada, que, según mi padre, era el mejor espadachín de Tierra Firme, me enseñara todos los secretos de su arte. Sudaba a mares durante los ejercicios pero ¡cómo disfrutaba! De seguro, mi verdadero progenitor se hubiera revuelto en su tumba de haber visto a su hija usando la espada y la daga y dando estocadas y hendientes por aquí y por allá, pero no hubiera podido dejar de apreciar mi natural destreza y mi pronta soltura en el manejo de unas armas que, para mí, significaban mis raíces y mi casa, una casa, la de Toledo, que ya casi no recordaba, como tampoco el frío, la nieve, los sabañones, los cristales de hielo en las ventanas, la ropa de abrigo...

Y, entonces, cierta noche de finales de abril, cenando en el comedor pequeño de la casa, la señora María preguntó:

—Estebanico, ¿has preparado lo de Melchor?

A las luces de las dos hachas que en la sala había, vi a mi padre palidecer y levantar la mirada del plato. Cada palabra que dijo le costó un dolor:

—Me faltan treinta pesos de a ocho para los veinticinco doblones. Tengo para mí que no voy a vender tantos abastos en cuatro días.

Un silencio muy pesado cayó sobre la mesa. No había que ser muy lista para llegar a la conclusión de que mi padre le debía dinero a ese tal Melchor, que el día de pago estaba cerca y que no disponía de la cantidad que necesitaba (¡veinticinco doblones!).

—No te inquietes —le rogó María, apenada—. Conseguiremos lo que falta.

—Hago todo lo que puedo —declaró él, muy serio.

—Lo sé. Hablaré con las mozas. Tranquilo.

A la mañana siguiente, antes de sacar a *Alfana* a la calle, mi padre me dijo:

—Prepárate, Martín. Zarpamos mañana al alba.

—¿Adónde vamos, padre? —le pregunté.

—A Cartagena de Indias, a mercadear lo que quedó en las bodegas del barco y a visitar a un compadre.

—Como digáis.

El paseo con *Alfana* no me alivió la preocupación. Mi padre tenía problemas de los que yo nada sabía y, como ni María ni él hablaban jamás de caudales delante de mí, desconocía si mi presencia en aquella casa suponía, como empezaba a recelar, un gasto que no se podían permitir a pesar de las buenas apariencias y del negocio de la mancebía, la tienda pública y el barco. Me propuse averiguarlo sin tardanza. Si hacerse cargo de mí les estaba perjudicando, tenía que conocerlo y remediarlo. Como se me alcanzaba que mi padre no me diría ni media palabra aunque le preguntase durante el resto de mi vida, decidí que no me iba a separar de él en Cartagena ni para aliviar las necesidades del cuerpo. Me convertiría en su sombra desde que atracáramos hasta que nos hiciéramos a las velas de nuevo y, de este modo, me enteraría de lo que estaba pasando.

Nada más anclar dos días después en el grandioso puerto de Cartagena, a sólo treinta leguas de navegación de Santa Marta, cargamos los bastimentos en el batel y bogamos con buen compás hasta el muelle. ¡Qué cantidad de navíos y fragatas había en aquel lugar! ¡Y qué astilleros tan grandiosos para la construcción de magníficas naos y galeras! Parecía el puerto de Sevilla el día que zarpamos con la flota.

—Ésta es la ciudad de mayor contratación de las Indias —me dijo mi padre—. Aquí vienen a comerciar desde todas las provincias interiores del Nuevo Reino de

Granada,[9] desde toda la costa de Tierra Firme y hasta desde Nueva España,[10] el Pirú y Nicaragua.

Cartagena era inmensa, con un precioso palacio que servía de cabildo y de residencia para el gobernador, mansiones señoriales blasonadas, casa de armas, casas reales para los jueces y oficiales, cárcel pública con soldados de presidio, elegantes hospedajes, catedral y numerosas iglesias y monasterios. Y, todo ello, construido con gruesos sillares de piedra, lo que no dejaba de ser extraordinario en un mundo de madera y barro como era el Caribe. Por otra parte, no menos de dos mil vecinos, sin contar esclavos, negros libres, mestizos, mulatos, indios y demás castas, habitaban sus barrios y arrabales. A su lado, Santa Marta, con sus sesenta vecinos, era menos que un villorrio miserable.

Acudimos al mercado de la plaza del Mar, vendimos nuestros productos y se nos dieron bien los negocios. En Tierra Firme siempre faltaba de todo. Si el rey hubiera permitido que los comerciantes de otros países nos abastecieran de lo más necesario cuando los de España no podían hacerlo, el Nuevo Mundo hubiera florecido con la fuerza y la potencia con que florecían allí las arboledas y las selvas. Por eso era tan importante el trabajo de los mercaderes de trato como mi padre, que llevaban las mercaderías que sobraban o se producían aquí hasta allí y las de allí hasta allá y las de allá hasta acullá y vuelta a empezar. Las colonias no hubieran sobrevivido de no ser por ellos.

9. Se correspondería, aproximadamente, con la actual Colombia.

10. El Virreinato de Nueva España comprendía, en esta época, todos los territorios situados al norte de la península del Yucatán.

Al terminar la segunda mañana de mercado en la plaza, ya sin nada que vender, trocar ni granjear, empezamos a recoger nuestros bártulos. Sólo faltaban el marinero Rodrigo, que había pedido licencia a mi padre para ir a jugar unas partidas de dados y naipes a una conocida casa de tablaje de las muchas que había en Cartagena, y Lucas Urbina, mi maestro, que había ido a raparse las prietas y aborrascadas barbas. Los demás, incluidos los grumetillos, trabajábamos con muchas veras para huir del pesado calor del mediodía, que ya se acercaba. El resto de los comerciantes, tenderos y buhoneros, cerrando sus puestos, escapaban presurosamente buscando las sombras por los rincones.

—A la nao —ordenó mi padre—. Hemos terminado.

Un poco raro me sonó a mí aquello.

—Mire bien —le dije—, que no estamos todos y que, por más, tiene vuestra merced que acudir a visitar a un compadre aquí, en Cartagena, que tal me dijo en Santa Marta la noche antes de zarpar. ¿Quiere que le acompañe?

Él me miró a hurtadillas, como desconfiando de mí y de mis palabras, y, luego, con un gesto vago de la mano, me rechazó.

—Vete al barco con los hombres —me ordenó—. Que Mateo y Jayuheibo regresen al muelle y esperen a Rodrigo y a Lucas en el batel, que yo cogeré uno de alquiler para volver a la nao cuando me interese.

Asentí, como obedeciendo, y seguí con el trabajo pero, en cuanto él se despidió y se alejó, saliendo de la plaza, cogí mi sombrero y les dije a mis compadres que hicieran lo que había ordenado el maestre pero que Mateo y Jayuheibo me esperasen a mí también en el muelle.

—Lleva cuidado, Martín —me previno Mateo—. Eres muy joven para andar solo por Cartagena. Tu padre se enfadará mucho cuando se entere.

—¡Mi padre no se tiene que enterar! —grité, tomando el mismo cantillo por el que él había desaparecido. Lo tenía a menos de cincuenta pasos de distancia y así me mantuve todo el camino para que no se apercibiera de mi presencia.

Cruzamos el centro señorial de Cartagena, cada vez más vacío por la fuerza con que apretaba el sol de mediodía. Temí que nos quedásemos finalmente solos mi padre y yo en las solitarias calles, pues ni personas ni bestias se atrevían a arrostrar aquel aire ardiente e irrespirable. Al poco, abandonó el centro, cruzó las murallas, atravesó una ciénaga y se internó en unos humildes arrabales formados por esas casas hechas con palos embarrados y techos de palma que los indios llaman bajareques. Luego supe que aquel mísero barrio era el de Getsemaní, donde vivía la más pobre gente de Cartagena. Por ser el calor tan húmedo, no se secaba nunca el fango del suelo, cebado con los desperdicios y evacuaciones de los vecinos. Dejamos atrás aserraderos, tejares, almacenes, curtidurías... todos cerrados a esas horas del día. Y así, mi padre fue atravesando senderos, sorteando hatos y estancias y cruzando solitarios páramos, por lo que me vi obligada a emboscarme donde buenamente podía (tras cañas, matas y cactus, clavándome formidables espinas con tal de que no se me viera) y, por fin, llegó a una hacienda situada en un claro enorme de la selva en la que había muchos indios y esclavos negros aherrojados por los cuellos a largas cadenas de hierro. Aquellas pobres gentes estaban trabajando muy duro bajo el ardiente sol, unos talando árboles, otros despedazando grandes bloques de piedra con picos, palas, cinceles y martillos, y otros más, alimentando con leña unos extraños hornos con forma de vasos muy altos de cuyas paredes, a través de muchos ojales, salían unas llamas enormes. El ruido era muy grande y se acrecentaba según te allegabas. A lo que pude ver, por el asiento de aquellos altos vasos salía una especie de escoria o desperdicio que caía en pequeñas albercas de agua puestas a tal fin. Sin duda, en aquel patio se extraían metales preciosos.

Entonces, a menos de un tiro de piedra del lugar, mi señor padre se detuvo y se volvió hacia mí:

—Sé que estás ahí, Martín —me dijo, enfadado—. ¿Se puede saber qué demonios haces?

Salí de mi pobre escondite, sorprendida por su clarividencia.

—Seguir a vuestra merced, padre.

—Pues me vas a esperar aquí sin dar un paso más.

—¿Cómo ha sabido que le seguía? —pregunté, molesta.

—¿Crees que puedes ocultar tu vistoso chambergo rojo? —se burló, entrando en la propiedad y dejándome con tres pares de narices bajo el sol y en mitad del campo. Le vi entablar conversación con un hombre que descansaba en una hamaca, a la sombra del porche de una gran casa blanca de recios portalones. Estaban lejos, mas pude reparar en que el hombre, que evidentemente era el amo de todo aquello, no hizo traer una silla para su visitante, obligándole a permanecer de pie mientras él seguía cómodamente tumbado. Hubo un silencioso intercambio de objetos: mi padre le entregó una bolsa de monedas que extrajo de su faltriquera y, a trueco, el hombre le correspondió con un simple papel. Eso fue todo. Luego, mi padre se despidió fríamente y salió de allí. Le vi regresar, cabizbajo y pensativo, con un paso tan cansino que parecía como si cargara él solo con cien toneles o cien botijas, aunque nada llevaba. Pronto lo tuve a mi lado y, con su mano en mi hombro, como le gustaba caminar, me dirigió en completo silencio hacia la ciudad, negándose a responder a mis preguntas o a dar réplica a mis comentarios. Fuera lo que fuese lo que hubiera pasado en aquella hacienda, no había sido nada bueno.

Como les había dicho a Mateo y a Jayuheibo que me esperasen en el muelle, allí estaban los dos junto con Rodrigo y Lucas, bebiendo y alborotando para espantar el tiempo. En cuanto nos vieron llegar, se pusieron a desamarrar el batel a toda prisa y a darnos las espaldas para hacerse invisibles a los ojos de mi padre, quien, sin embargo, como iba tan amohinado, no reparó en su inobediencia. Al ver a Rodrigo, al punto se me ocurrió un ardid:

—Rodrigo —le dije en un aparte con voz queda—, saca de la faltriquera de mi padre un papel que encontrarás plegado y dámelo.

El de Soria rehusó mi petición con rápidas sacudidas de cabeza e intentó ignorarme agarrando el remo como si la vida le fuera en ello, pero yo no podía permitir que el antiguo garitero de Sevilla, maestro de fullerías, cuyos encallecidos dedos eran capaces de hacer aparecer y desaparecer los naipes y hasta los mazos completos como por arte de magia, desairara mi demanda por mucho respeto que le tuviera a mi padre. Así que tomé su mismo remo y me senté a su lado.

—Rodrigo, amigo —le supliqué en susurros—, no temas desaguisado alguno ni entuerto de ninguna clase. Antes bien, si me entregas ese papel que guarda mi padre, te aseguro que me ayudarás a enmendar una injusticia.

—¿La de Melchor de Osuna? —me preguntó él, dejándome muy sorprendida.

—¿Qué sabes de ese Melchor?

—¡Alto, vosotros dos! —gritó mi padre desde la proa. Bogábamos ya hacia la nao, maniobrando entre los muchos barcos del puerto de Cartagena—. Remad y callad, que no estamos aquí para charlas y parloteos.

Rodrigo gruñó y no abrió más la boca pero, en cuanto pisamos la cubierta de la nao, me cogió por el brazo y me arrastró hasta el compartimento de anclas y sogas.

—Toma, lee —dijo alargándome el papel. Le miré con admiración. Ignoraba cómo y cuándo lo había cogido pero, en verdad, era un tramposo muy hábil. Su cara estaba seria y su piel curtida como el cuero tenía líneas blancas en los bordes de los ojos. Se le notaba disgustado—. Lee presto, que nos van a pillar.

—Podría leerlo si quisiera —me enfadé—, pero tardaría mucho tiempo porque aún estoy aprendiendo. Dime tú lo que pone.

Él ni pestañeó. Plegó el papel y lo hizo desaparecer en su gruesa manaza.

—Es una carta de pago. Melchor de Osuna declara que ha recibido de tu señor padre los veinticinco doblones del primer tercio de este año por la deuda total que tiene contraída con él.

—¿Qué deuda es ésa?

—Para mí tengo, Martín —repuso Rodrigo, girando

sobre sus talones—, que no soy yo quien debe hablarte de estas cosas. Son asuntos de tu padre que, si quiere, ya te contará él.

Me lancé como una fiera y le cogí por la camisa para impedir que se marchara.

—Bien dices, Rodrigo, y hablas debidamente, pero sabes que mi señor padre se cuida mucho de sus cosas y que yo acabo de llegar y que no va a contarme nada por su propia boca. Sólo sé que la señora María andaba muy preocupada estos días porque, a lo que se veía, los dineros no alcanzaban para satisfacer el tercio. Los dos sufrían y yo no podía hacer nada para remediarlo. Paréceme a mí que, si tú me lo cuentas, yo sabré responder acertadamente en próximas ocasiones y, ¿quién sabe?, acaso podría ayudar en algo. Tendrías que haber visto la cara de mi padre cuando salió de la hacienda de ese tal Melchor.

Mis palabras parecieron conmover al hosco Rodrigo, que se quedó en suspenso unos instantes y, luego, nervioso, dijo:

—No es tiempo de detenernos a hablar. Espérame aquí, que voy a devolver el recibo antes de que el maestre se dé cuenta de que no lo tiene.

Salió y regresó en un soplo.

—¿Qué quieres saber? —me preguntó sentándose más tranquilo sobre una rueda de gruesa maroma.

—¿Quién es Melchor de Osuna? —repuse yo, tomando asiento frente a él.

—El peor rufián de Tierra Firme. Un maldito birlador que tiene por granjería robar a tu padre bajo capa de ley y justicia. Si no fuera pariente de los Curvo, ya le habría clavado yo mismo un puñal entre las costillas mucho tiempo ha.

—¿Tan malo es? —me angustié.

—El peor de los hombres.

—¿Y los Curvo? ¿Quiénes son ésos?

—Los hermanos Arias y Diego Curvo, naturales de Lebrija, Sevilla. En Tierra Firme se los conoce como los Curvo. Son los comerciantes más poderosos y ricos de Cartagena. Melchor de Osuna es un primo al que tienen apadrinado para que aprenda el negocio. Estas familias importantes recurren a los parientes para conseguir empleados de confianza y robustecerse beneficiando a sus allegados. Al frente de la casa de comercio que los Curvo tienen en Sevilla se halla otro de los hermanos, Fernando, que es quien recibe las peticiones de la parentela y hace los favores mandándolos a Tierra Firme con Arias y Diego. Fernando está inscrito en la matrícula de cargadores a Indias y envía las mercaderías a sus hermanos en navíos propios que viajan con las flotas anuales.

—¿Y por qué mi padre le debe caudales al de Osuna? —Mi preocupación iba en aumento. Cuando topas con los ricos y los poderosos puedes darte por perdido si eres de humilde condición.

Rodrigo se pasó las manos por la cara para secarse el sudor.

—Tu señor padre firmó un contrato con Melchor obligándose a suministrarle ciertas cantidades de piezas de lienzo brite y de libras de hilo de vela[11] que debía entregarle en unos establecimientos que el miserable estafador tiene en Trinidad, La Borburata y Coro. Era un

11. El lienzo brite era una tela especial para fabricar velas de navíos y el hilo de vela era un hilo grueso de cáñamo que se utilizaba para las costuras.

contrato muy ventajoso del que el maestre hubiera obtenido unos muy buenos beneficios, pero todo salió mal. La flota de Los Galeones traía todos los años lienzo brite e hilo de vela en abundancia, por eso tu señor padre pensaba comprarlos a buen precio en la feria de Portobelo, la que se celebra cuando llegan las naves de España, y llevarlos a los establecimientos de Melchor para cobrar los dineros. Mas, por alguna maldita fortuna, aquel año de mil y quinientos y noventa y cuatro la flota no trajo ninguna de estas dos mercaderías y Melchor de Osuna, en lugar de comprender la situación, hizo efectivos los términos del contrato en los que se estipulaba que, en caso de incumplimiento, el señor Esteban incurriría en pena de comiso a su favor para resarcirle por los daños y pérdidas.

Me costaba entender lo que Rodrigo contaba porque jamás había tenido que enfrentarme a cuestiones de semejante jaez, mas se me alcanzaba que, seis años atrás, mi señor padre había dejado de cumplir un acuerdo comercial y que por ello tenía que pagar aquellos dineros a Melchor.

—El de Osuna —siguió contándome Rodrigo— acudió al escribano de Cartagena ante el que se había otorgado el contrato y exigió que todos los bienes del señor Esteban fueran confiscados y pasaran a su propiedad, lo que se llama ejecución en bienes por el total. El escribano llamó a los alguaciles y tu señor padre perdió la casa de Santa Marta, la nao y la licencia de la tienda. No se pudo hacer nada. De la mañana a la noche, la señora María y él se quedaron sin un maravedí, porque la mancebía también había que cerrarla por falta de vivienda. Pero, entonces, Melchor de Osuna, simulando generosidad, le ofreció otro arreglo legal a tu señor padre: un contrato a perpetuidad que, por pacto, no puede redimirse nunca y mediante el cual le deja todos los bienes en usufructo siempre y cuando le pague por tercios una cantidad anual de setenta y cinco doblones durante el resto de su vida.

—¡Setenta y cinco doblones![12] —exclamé, aterrada. Con esos caudales podía alimentarse una familia completa durante años y años. Era una verdadera fortuna.

—Debe pagar sin falta para no ir a galeras como forzado del rey. Por eso tu señor padre sigue trabajando a pesar de su mucha edad. Si quiere conservar su casa, su tienda y su barco debe entregarle a Melchor veinticinco doblones cada cuatro meses. A veces lo consigue y a veces no, entonces la señora María pone lo que falta y, si no lo tiene, lo pide prestado a las mozas del negocio y, entre ellas y nosotros, los marineros, completamos la suma para ese maldito bellaconazo que el diablo se lleve. De no ser por las muchas cuentas que hace la madre —se refería a la señora María—, sería imposible pagar la deuda. Lo peor es que, el día que el señor Esteban muera, todo pasará a manos de ese ladrón pues, con la ley en la mano, es el propietario legal de todos los bienes de tu padre.

—¿Y eso no es un arreglo usurario? —La usura estaba prohibida y penada por la justicia. Los cristianos no podían ejercerla porque se consideraba un trabajo judaizante, contrario a la doctrina católica—. Ese pago anual de setenta y cinco doblones parece...

12. Por aproximación, esta cifra equivaldría, más o menos, a unos treinta mil euros actuales.

—No es usura, Martín, se llama negocio. Eres muy joven aún para comprender la diferencia.

Sentía una gran aflicción en mi corazón. Aquellas buenas gentes me habían acogido en su casa y protegido de mi mala ventura, además de salvarme de la soledad de mi isla. Me daban pan, lecho y cobijo y, en el entretanto, acopiaban los maravedíes como menesterosos para pagar a un ruin sablista que los estaba privando de hasta la última gota de sangre. Rodrigo comprendió mi pena y, levantándose, me dio un golpecito de consuelo en la espalda y se marchó en silencio, dejándome sola entre las sogas, las maromas y las anclas.

Algo tenía que poderse hacer. Alguna solución debía de haber para aquella injusticia. Matar a Melchor, como decía Rodrigo, no era el camino correcto aunque resultara tentador. Tampoco yo entendía de contrataciones y leyes. La justicia del rey era implacable y todo el mundo sabía que nada podía hacerse en cuestión de escribanos, procuradores y jueces cuando era gente poderosa la que se tenía enfrente, y si para el caso Melchor de Osuna no lo era bastante, sus primos los Curvo sí, de suerte que el señor Esteban estaba atrapado en aquella sinrazón como una mosca en una telaraña y de nada le valdrían ni testigos ni probanzas.

Y así estaba, embebecida en mis pensamientos, cuando mi padre me llamó a gritos desde la cubierta:

—¡Martín! ¡Miserable muchacho del demonio! ¿Dónde te has metido? ¿Es que no piensas trabajar? ¡Por mis barbas! ¡El barco zarpa y hacen falta tus enclenques brazos!

—¡Voy! —exclamé dando un brinco.

Es de gente bien nacida ser agradecida y yo pensaba serlo con mi padre postizo hasta donde la vida me dejase, así que no me importaron ni sus voces ni sus rudas palabras. Me juré en aquel instante que o salvaba al señor Esteban y a la señora María de las trampas de Melchor de Osuna o dejaba de llamarme para siempre Catalina Solís... o Martín Nevares... En fin, cualquier nombre que tuviera pues, para el caso, daba igual.

Iniciamos el tornaviaje hacia Santa Marta al atardecer, mas no era lo mismo marear hacia el poniente, con el favor del viento y en el sentido de la corriente, que hacerlo al contrario, de modo que si las treinta leguas de ida podían salvarse en poco más de una jornada, las mismas treinta leguas a la vuelta requerían, a lo menos, dos o tres. Así, Guacoa viose obligado a pilotar dando bordadas para ganar barlovento y nosotros, los marineros, a trabajar sin descanso afirmando las jarcias y maniobrando las vergas, las entenas y las velas para no perder el gobierno de la nave e ir a dar contra las rocas de la costa. Menos mal que mis trabajos en la isla me habían robustecido y que, teniendo la apariencia de un mozo de quince o dieciséis años, nadie esperaba más de mí.

A pocas horas ya de llegar a nuestro puerto, siendo casi de noche y con la cena en la olla, el grumete Nicolasito lanzó un grito de alerta que nos hizo girar la cabeza en redondo hacia donde él estaba. Por el lado de estribor, en tierra, unas luces hacían señas de un lado a otro, y parecía que unas eran de antorchas y otras de fanales, pero que todas se movían para ser vistas y para llamar nuestra atención. Guacoa lanzó una silenciosa mirada al maestre y éste, imperturbable, ordenó arriar velas y detenernos, aunque sin decir nada de echar las anclas o bajar el batel.

—¿Será una trampa, Mateo? —pregunté a mi compadre más cercano, sin quitar los ojos de las misteriosas luces.

—Ésa es la bahía de Taganga —respondió éste, apoyando las manos en la borda y señalando con el mentón—, tan cercana al puerto de Santa Marta que bien pudiera tratarse de un grupo de vecinos que hubiera salido huyendo de algún asalto pirata a la ciudad.

—O bien los propios piratas —aventuró el grumete Juanillo, asustado.

—Lucas —dijo mi señor padre—, da un grito en inglés a ver si responden.

Me sorprendí al saber que Lucas, mi maestro, hablaba el idioma de los enemigos de España, pues estábamos en guerra con Inglaterra desde hacía doce años, cuando la Armada Invencible fue derrotada por los ingleses en las aguas del canal de la Mancha. El de Murcia, obedeciendo la orden, con un vozarrón tan imponente como sus espesas barbas, tronó unas palabras que no entendí. Nadie contestó desde la playa. Las luces se detuvieron unos instantes y luego tornaron al baile.

—Ahora en francés y en lengua flamenca —indicó mi padre.

Y Lucas, aunque yo no comprendía sus guirigáis y lo mismo podía estar gritando en turco, así lo hizo, pero tampoco nadie respondió y, al igual que antes, las luces quedaron como en suspenso en cada ocasión para, luego, seguir moviéndose de un lado a otro. Al poco, sin embargo, el aire del mar trajo una voz hasta nosotros:

—¡Esteban Nevares! ¿Estáis ahí?

Mi padre no respondió.

—¡Señor Esteban, quiero parlamentar con voacé!

—¡Cuidado, padre! —me alarmé, recordando a los maleantes que transitaban por la plaza Zocodover de Toledo—. Tiene hablar de rufián y matón.

—Y de esclavo —murmuró mi señor padre, inclinándose sobre la borda como si, de este modo, pudiera ver quién había en la playa—. ¡Aquí estoy! —gritó—. ¿Quién sois y qué queréis?

Las luces se pararon.

—¡Soy el rey Benkos!

Un murmullo de sorpresa salió de la boca de mis compadres. Negro Tomé, Antón Mulato, el cocinero Miguel y el grumete Juanillo se abalanzaron sobre el costado de estribor lanzando exclamaciones de júbilo. Mi señor padre, con grande enojo, les hizo dejar el sitio mal de su grado.

—¡Fuera de aquí, idiotas! —les espetó—. ¡Si os disparan con un arcabuz o con un mosquete podéis daros por muertos!

—¡Pero si ya ha oscurecido y no se ve nada! —protestó Juanillo.

—¡Esteban Nevares! —insistió la voz desde tierra—. ¿Seguís ahí o habéis fallecido del susto?

—¡Mucho más famoso tendrías que ser y mucho más grandes tus hazañas para que yo me asustara de un cimarrón[13] como tú!

—¡Venid a tierra, señor mercader! ¡Tengo negocios que tratar con voacé!

Mi padre quedó pensativo.

—¿Qué garantías me das? —preguntó al fin.

—¿Cuáles queréis?

—¡Envía nadando a algunos de tus hombres y mi batel los recogerá a medio camino! ¡Se quedarán en mi barco mientras nosotros parlamentamos!

13. Esclavo negro que, en la América española, huía en busca de la libertad.

—¡Sea! —admitió la voz del tal rey Benkos—. ¡Y, por más, como garantía total de mi buena fe os enviaré de rehén a uno de mis hijos!

—¡Soltad el batel! —ordenó mi padre.

—¡Pero en garantía de la vuestra —siguió diciendo el rey—, os pido que traigáis también al vuestro, a Martín!

—¡Alto! —gritó el señor Esteban, parando la maniobra—. ¿Cómo sabe ese cimarrón que yo tengo un hijo? —mascullό.

—¿Aceptáis, señor? —preguntó el supuesto rey.

—¡Hasta aquí han llegado nuestros parlamentos! ¿Qué sabes tú si yo tengo un hijo o no y cómo se llama?

—¡Soy el rey Benkos Biohó —gritó el otro—, y todos los esclavos negros de Tierra Firme escuchan para mí, señor mercader! ¡Lo sé todo y lo conozco todo, por eso el tino me dice que hemos de llegar a un buen trato de comercio!

Mi señor padre puso cara de estar viendo un fantasma, un ánima en pena o un espíritu hechizado. Pareció dudar pero, finalmente, hizo con el brazo un gesto rápido para que culmináramos la maniobra de bajar el batel al mar y ordenó a Jayuheibo y a Mateo que recogieran a los rehenes del agua aunque sin acercarse demasiado a la playa. Echamos las anclas y permanecimos en vilo mientras todo esto acontecía, escuchando en silencio el ruido de los remos. Cuando el batel regresó y los cascos de ambas naves se tocaron, supe que algo muy grave iba a suceder. Me lo dijo mi instinto y el sudor copiosísimo que me corría por todo el cuerpo a pesar de la fresca brisa nocturna.

Cuatro negros empapados, con las ropas hechas pedazos, descalzos, las cabezas sin cubrir y los muchos cabellos ensortijados goteando agua, saltaron sobre la cubierta mirando a diestra y siniestra con desconfianza. No iban armados pero hubiéramos hecho falta todos nosotros para acabar con ellos, pues eran recios, altos, de anchas espaldas y poderosos brazos. Uno de los cuatro, el que debía de ser el hijo del rey Benkos Biohó, parecía tener sólo catorce o quince años (los mismos que tenía mi hermano cuando murió) y, de todos, era el que mostraba más orgullo en los ojos y un porte más altivo. La piel y los rizos negros le brillaban como si se los hubiera untado con aceite.

—Tomé, Martín —llamó mi padre—. Vamos.

Al poco, bogábamos en silencio hacia la costa con Jayuheibo y Mateo, rompiendo el agua con los remos. En cuanto las misteriosas luces de la bahía sirvieron para algo más que para hacer señas, descubrí, en el centro de la playa, quince o veinte negros con picas cortas y espadas al cinto que miraban fijamente en nuestra dirección. Por única vestidura se cubrían con unos calzones astrosos y rotos, dejando el torso al aire. Delante de ellos, un hombre viejo, fuerte y tan descalzo como los demás, hundía sus pies y el asta de su lanza en la arena, esperándonos. Tendría cerca de los cuarenta años, pero parecía que ni un huracán podía derribarle, tal era su arrogancia. Sin duda, se trataba del rey Benkos.

Jayuheibo y Tomé saltaron al agua en cuanto estuvimos a diez pasos de la orilla y arrastraron el batel con nosotros dentro.

—¡Sed bienvenido, señor Esteban! —exclamó Benkos, aproximándose y haciendo una inclinación ante mi padre, que caminaba ya también hacia él—. Y tú —añadió, dirigiéndose a mí—, sin duda eres Martín Nevares, su hijo, pues mucho os parecéis. Vengan voacés y tomen asiento junto a nosotros.

El corro de cimarrones se abrió para dejarnos paso y alguno prendió fuego a una pila de maderos y yesca que había allí mismo, encendiendo una hoguera. Al otro lado, dos sillas vacías esperaban, dispuestas para la conversación. Mi padre y el rey Benkos las ocuparon. Un negro se acercó hasta ellos con dos vasos de vino. Los demás, nos sentamos en la arena.

—¿Cómo le van los negocios, señor Esteban? —se interesó el rey con una sonrisa mientras levantaba el vaso de vino en el aire—. ¡A su salud!

Mi padre también bebió y se secó los labios con la mano.

—Mis negocios —repuso— sin duda van mejor que los tuyos, Domingo. No has de tardar en caer en manos de la justicia.

—Mi nombre es Benkos —se ofendió el otro.

—Fuiste bautizado como Domingo cuando llegaste a Cartagena.

—Cuando llegué a Cartagena estaba hecho un esqueleto y, de tanto latigazo, andaba con el cuerpo en carne viva. Ni siquiera sabía lo que estaba ocurriendo cuando aquel fraile me tiró el agua sobre la cabeza en el puerto. No entendía el castellano, señor, y no di mi consentimiento. Yo era rey en África y nunca volveré a ser esclavo en ninguna parte del mundo. Me llamo Benkos Biohó y, si queréis llegar a un buen acuerdo conmigo, así deberéis nombrarme.

—¿Y por qué iba yo a querer ningún trato contigo, cimarrón?

Me extrañaba mucho que mi padre, contrario a la esclavitud, estuviera actuando de aquel modo. No se me vino al entendimiento entonces, ignorante de mí, que nuestra situación era de peligro, que nos superaban en número y que él sólo intentaba aparentar una fortaleza que estaba muy lejos de sentir.

—Ambos nos necesitamos, señor mercader —afirmó el rey con una sonrisita burlona en los labios—. Voacé debe pagar a Melchor de Osuna veinticinco doblones al tercio y yo quiero armas y pólvora para defender mis palenques. Yo tengo doblones para voacé y voacé puede mercadear para mí arcabuces y mosquetes de rueda.

—¿Qué son los palenques? —pregunté en un susurro a Negro Tomé, que estaba sentado a mi lado.

—Poblados de cimarrones. Son tantos los esclavos que huyen a las ciénagas y a las montañas siguiendo al rey Benkos que han fundado varios de esos palenques en los que viven según las costumbres africanas.

—¿Y tú no quieres ir a uno de ésos? —inquirí con curiosidad.

—Yo soy un hombre libre —susurró con orgullo—. El maestre me compró y me dio la carta de libertad ha muchos años. No he menester escapar ni ocultarme de nadie.

—¿Y de dónde —estaba preguntando mi padre—, si puede saberse, voy a sacar yo ballestas, saetas, arcabuces, escopetas de rueda, mosquetes y pólvora en la cantidad que pides sin despertar las sospechas de la autoridad? Por más, Domingo, sabes que la flota de Los Galeones no vino el año pasado y que éste, sin querer pecar de agorero, mucho me temo que tampoco vendrá.[14] ¿De

14. En 1599 sólo partió desde Sevilla con destino a Tierra Firme una Armada de la Guardia de la Carrera de Indias formada por

dónde quieres que saque todas esas armas si no las hay ni para los colonos?

—Del trato ilícito, por supuesto —afirmó el rey Benkos con una sonrisa.

—¡Contrabando! —gritó mi padre, enfadado—. ¡Has perdido el juicio, Domingo! Ya conoces las durísimas penas que se han impuesto contra el comercio con otras naciones. Podría ir a galeras, de donde ya no volvería, o incluso morir en el cadalso.

—O ganar tantos dineros que podríais cerrar vuestra deuda con el de Osuna y vivir como un duque hasta el día de vuestra tranquila y beatísima muerte.

—Mi deuda con el de Osuna no se puede cerrar —le rectificó mi padre, muy digno.

—Sea, pero podréis olvidar las agonías y ansiedades que sufrís para reunir los caudales del pago. Muchos de los llamados piratas y corsarios que asuelan estas costas no son sino mercaderes extranjeros convertidos en contrabandistas porque se niegan a cumplir con la prohibición del rey de España. Tratad con ellos y traedme lo que de suerte he menester para defender a mi gente.

—Con esas armas matarías a españoles —rehusó mi padre.

—Peores muertes dan los españoles a sus esclavos. Voacé sabe, porque es harto conocido, que yo, en este año y pico que llevo huido de Cartagena, no he atacado

---

seis galeones militares y dirigida por el general Francisco Coloma, cuya misión era hacer la guerra en el mar a los navíos ingleses y recoger las perlas, la plata y el oro de la Corona. En 1600 tampoco salió la flota con mercancías para las colonias de Tierra Firme aunque sí para las de Nueva España.

jamás, que sólo me he defendido. Cuando mis confidentes me avisan de que nuestros antiguos propietarios están organizando una batida para darnos caza, mi gente huye a las ciénagas o se interna en la selva y en los montes por donde los caballos y los perros no pueden pasar. Pero ya estamos hartos de huir. Queremos defendernos, que nos cojan miedo y que no vuelvan a molestarnos.

—¿Y qué confidentes son esos de los que tanto presumes?

—¡Todos los esclavos de Tierra Firme! —exclamó el rey Benkos, soltando una ruidosa carcajada—. ¡Todos, señor, todos los esclavos de Tierra Firme escuchan para mí! Luego, corren a dar la noticia y ésta va prestamente de boca en boca hasta que, en pocas horas, llega al palenque más cercano. Nunca nos cazarán porque todos los negros que aún son cautivos quieren que sigamos libres y vivos con la esperanza de unirse a nosotros algún día. Pero necesitamos las armas, señor —insistió, después de dar un largo trago a su vaso de vino—, las armas y el auxilio de voacé para conseguirlas. Os pagaremos bien. Tenemos plata, una plata que pasará pródigamente a vuestras manos en agradecimiento por el favor y por los peligros que afrontaréis —el cimarrón miró largamente a mi padre—. ¿Qué decís, señor?

No hubo respuesta. El silencio sólo quedaba roto por el acompasado sonido de la resaca. Veintitantas personas sentadas alrededor de un fuego y no se oía ni una tos. Al cabo, el rey Benkos se impacientó.

—Señor —apremió—, ¿qué decís?

—No aceptaría el trato de no necesitar tanto los caudales —murmuró mi padre con la cabeza baja—. Pero, sea. Accedo. —Alzó la mirada y contempló al cimarrón con firmeza—. Ve preparando esa maldita plata, Domingo, porque voy a poner en peligro mi vida, la vida de mi hijo y las vidas de mis hombres. —La rabia contra sí mismo le endurecía la voz—. Voy a tratar con extranjeros herejes, a incumplir un buen puñado de leyes de la Corona dándome al prohibido comercio del contrabando y a defraudar a la Real Hacienda, y todo esto, Benkos, tendrás que pagarlo muy bien.

El aludido sonrió con satisfacción.

—Voacé tráigame las armas que yo le pagaré con buena plata del Pirú, discretamente rescatada por los esclavos negros que la transportan en parihuelas, con grandes riesgos y muchas muertes, desde el Cerro Rico del Potosí hasta Cartagena y Portobelo para que sus dueños, acaudalados encomenderos y mercaderes españoles, puedan defraudar a su Real Hacienda ocultando estas riquezas a los registros. Y, ahora, ¿qué le parece si celebramos nuestro acuerdo con una pequeña fiesta?

Mi señor padre, aunque cariacontecido, ordenó que el batel regresara a la nao para recoger a los rehenes y marineros que allí habían quedado a la espera de acontecimientos. En el entretanto, los negros sacaron carnes, vino, quesos, hogazas de pan y frutas en cantidades tales que aquello se parecía mucho a lo que yo, con mis pocas luces, entendía que debía de ser el festín de un rey. Y, sí, en efecto, era el festín de un rey, el del rey Benkos Biohó, quien un día había gobernado una nación entera en África y ahora, por esos extraños albures del destino, mandaba sobre un número creciente de súbditos, los cimarrones apalencados de las ciénagas de la Matuna, en el Nuevo Mundo.

CAPÍTULO III

A fe mía que los tiempos que después vinieron requirieron de toda la firmeza y la fuerza de mi señor padre pues, de no ser por ellas, los muchos apuros y miedos que atravesamos hubieran acabado con nosotros, con nuestras intenciones y con los asuntos que de ellas dependían.

A los ojos de todo el mundo las cosas continuaron igual. Salíamos con la nao cada mes y medio o dos meses para hacer nuestra ruta habitual desde Santa Marta hasta Trinidad en viaje de ida y vuelta. En cuanto regresábamos a casa, donde solíamos permanecer unas dos semanas, mi padre me obligaba a encerrarme a estudiar y, así, llegué a leer y a escribir con bastante soltura en poco tiempo y, sólo entonces, me enseñó los libros que mantenía ocultos y que eran algunos de los prohibidos por el Índice de Quiroga de mil y quinientos y ochenta y cuatro, de mal recuerdo para mí. Me dijo que se imprimían en los países luteranos, en castellano, que los traían los contrabandistas extranjeros y que había mercaderes de trato como él que los conseguían por buenos precios pues había mucho interés en el Nuevo Mundo por las ideas que estaban excomulgadas en España y que triunfaban en la Europa renegada, sobre todo las de sentido anticlerical y que criticaban abiertamente la pobreza del pueblo, como el *Lazarillo de Tormes*. Él los compraba abiertamente en los pequeños mercados a los que iban a parar cuando sus primeros dueños, una vez leídos, se deshacían de ellos por temor.

Por orden de mi padre, mis clases con Lucas Urbina fueron ampliadas con los rudimentos de la lengua latina pues afirmó que la ciencia se escribía con ella y que, si la desconocía, me perdería la mitad de los conocimientos del mundo. No sé qué esperaba de mí, una simple mujer a quien tanto estudio ponía nerviosa y no porque me desagradara, todo lo contrario. Los números, cuando se complicaron mucho, pasó a enseñármelos la señora María, que llevaba las cuentas de los tres negocios. Pronto me habitué a llamarla madre como hacía el resto de las mancebas que transitaban por la casa, aunque esa palabra nunca tuvo para mí otro sentido que el de un cargo o un oficio pues, en el fondo de mi corazón, la reservaba para mi verdadera madre, la de triste recuerdo. La lucha con espada y daga dejó de ser un adiestramiento para convertirse en una disciplina que dominaba con pericia, así como la monta y el arte de marear, pues también mi padre, no sé bien por qué, quiso que Guacoa me enseñara los principios elementales de la navegación, de modo que me pasaba las noches en la playa con el silencioso piloto, aprendiendo a manejar las agujas, el astrolabio, el compás, el cuadrante, las ampolletas, las sondas, las plomadas y los relojes. Cartas de marear no tenía, pues nadie disponía de ellas salvo los pilotos de las naves capitanas de las flotas, y, por más, se consideraban bienes tan valiosos que los piratas, en sus asaltos, las ambicionaban más que muchos tesoros. Guacoa, sin embargo, consideraba inútiles tanto las cartas y los portulanos como todos los objetos propios del oficio y, más que a marear con ellos, se empeñó en instruirme en las lecturas del cielo, de modo que hube de retener en mi memoria el nombre y disposición de todas las constelaciones (Escorpión, Cancro, Peces, Cisne, León, Pegaso...), así como de las estrellas más brillantes del firmamento (Antares, Proción, las Cabrillas, Deneb, Régulo...), las mismas, con otro nombre, que los indios utilizaban desde el principio de los tiempos para singlar por las aguas del Caribe. Con ellas, decía Guacoa, jamás me perdería y podría volver a casa siempre que quisiera. Lo que Guacoa desconocía era que yo no tenía una casa propia a la que volver, que estaba allí de prestado y que, algún día, me marcharía. Pero me gustó mucho aprender los nombres de las estrellas echada sobre la arena durante aquellas hermosas noches samarias.

Pese a todo, no conseguía entender por qué debía estudiar tanto. No iba a pasarme la vida siendo Martín Nevares y, como Catalina, aquellos conocimientos antes me sobraban que me servían para algo. No hubiera habido una imagen más ridícula, me decía a mí misma mientras me frotaba los ojos cansados por la lectura, que la mía vistiendo mis ropas de mujer mientras sostenía una ballestrilla o un astrolabio en las manos. Mas, como me incomodaba quejarme a mi padre, que ya tenía suficientes problemas (y el genio más vivo que nunca desde que nos habíamos reunido con el rey Benkos en Taganga), callaba y estudiaba, pensando en lo inútil de toda aquella instrucción y en el mucho tiempo que perdía con ella.

De esta guisa andaban las cosas cuando, cierto día, avanzada ya la estación de las lluvias, tras zarpar de Santa

Marta con las bodegas llenas de bananos, cocos, marañones, jengibre, papayas, vino de caña, cueros y tabaco, mi señor padre nos reunió a todos en la cubierta y, desde la toldilla, nos dijo:

—No conviene hacer esperar más a Benkos Biohó, no sea que busque otro mercader para cubrir su demanda. En los últimos meses he tenido los ojos y los oídos bien abiertos para ponerme al tanto del trato ilícito en estas aguas.

Mis compadres y yo asentimos. Era cierto que ahora frecuentábamos todas las tabernas de los puertos en los que atracábamos y que mi padre sostenía largas conversaciones con los dueños de estos lugares mientras nosotros bebíamos. Era, asimismo, verdad que, gracias a ello, yo había aprendido a estirar el contenido de mi vaso para no tomar más vino, chicha o ron del que resistía (que nunca era más de un cuartillo),[1] de suerte que sabía cuándo debía parar para no perder la cabeza ni echar las tripas. Lo que más agonías y pesares me causó fue empezar a fumar, pero me habitué a echar humo por la boca para no desairar a mis compadres y, con el tiempo, me gustó y disfruté con el tabaco, que, además, según afirmaban los indios, tenía muchas y muy buenas propiedades curativas.

—Pues bien —siguió diciendo mi padre—, tras numerosas cavilaciones y razonamientos, he decidido que vamos a buscar a los piratas y corsarios que vienen hasta Tierra Firme desde las provincias rebeldes de Flandes. He sabido que el anterior soberano, Felipe el Segundo, por torcerles la desobediencia y poner fin a la larga guerra

1. Para líquidos, medio litro, una cuarta parte de una azumbre.

que sostenemos contra ellos, les cerró los puertos lusitanos en cuanto se apoderó de Portugal en el año ochenta y uno.[2] Esta decisión no era cosa baladí para los flamencos ya que de las salinas de Setúbal extraían la sal para sus salazones que, como sabéis, es la principal de sus industrias y su mayor fuente de riqueza, pues venden a todas las naciones del mundo los arenques, cecinas, mantecas y quesos que alimentan a las tripulaciones de las naos. No se arredraron los flamencos con este castigo, antes bien, pusieron manos a la obra y buscaron nuevas salinas para reemplazar las de Setúbal. Con unas naves llamadas flautas, alcanzaron las islas africanas de Cabo Verde y de allí han estado extrayendo sal hasta que un nuevo embargo real sobre sus naves, dictado hace dos años, los ha obligado a poner las miras en nuestras tierras. La primera flota salinera flamenca llegó hace unos meses y encontró el filón que buscaba en un lugar de nuestra costa que nosotros siempre hemos ignorado y despreciado por árido, desolado y yermo pero que para ellos, a lo que parece, está resultando muy fértil y próspero. Me refiero a la península de Araya, a sólo tres leguas al norte de Cumaná.

—¿Araya? —se extrañó Mateo—. Pero si allí no hay nada. Es un lugar quemado por el sol que no permite la vida. No hay agua para beber, ni árboles, ni plantas, ni siquiera una miserable sombra bajo la que cobijarse.

—Pero hay sal. Y mucha, según dicen los que han visto las urcas flamencas partir cargadas hasta los penoles. Afirman que tales salinas son las más copiosas y abundantes del universo.

2. En 1581, por derechos sucesorios, Felipe II se anexionó Portugal y sus dominios.

—¿Qué son las urcas, maestre? —quiso saber Jayuheibo.

—Unas poderosas naves mercantes —explicó mi padre—. Son orondas, panzudas y de alto bordo y dicen quienes las han visto que arbolan sólo dos palos. A partir de ahora, estad atentos a las naos que pudieran tener esta forma pues, como os he dicho, vamos a tratar con los flamencos y, por más, concluyo que naves tan gruesas no pueden venir vacías desde Flandes. Seguro que traen mercaderías de contrabando que venden en Margarita, Cumaná y Cubagua. Pero hay otra razón importante para tratar con los flamencos: ¿qué otra cosa producen y venden en grandes cantidades, además de salazones?

Todos permanecimos silenciosos, pues no era una pregunta que esperara respuesta.

—Armas —declaró mi padre—. Flandes produce las armas de mejor calidad. Seguro que esas urcas traen suficientes para mercadear.

Pusimos rumbo a la península de Araya, a la que tardamos casi dos semanas en arribar por culpa de los vientos contrarios y las corrientes adversas. No nos detuvimos más que para hacer aguada y recoger leña en una playa solitaria y el maestre me obligó a permanecer en la caña del timón, con Guacoa, todo el tiempo que no estaba de guardia o aprendiendo, también por orden suya, las palabras en lengua flamenca que conocía Lucas Urbina, que no eran muchas, según éste mismo me confesó:

—Las suficientes para entenderme con el enemigo cuando era soldado de los Tercios.

—Pero ¿podremos razonar con los piratas?

—Cuando hay caudales de por medio, Martín, todo se alcanza.

Un día le pregunté a mi padre cuál era la diferencia entre contrabandista, pirata y corsario. Él sonrió.

—El pirata viene y roba —me explicó—. El corsario viene y también roba, pero dice tener un permiso escrito de su soberano para hacerlo. El contrabandista viene y mercadea ilícitamente pero, si se tercia, también roba y, entonces, se convierte en pirata o en corsario, si tiene una licencia real. El pirata que puede antes de robar mercadea. Lo mismo hace el corsario. Y el contrabandista, a veces, roba antes para, luego, con lo robado, poder mercadear. ¿Lo has entendido ya?

—Pues, verá, padre... —titubeé.

—Exacto —repuso con buen humor, soltándome un torniscón en la cabeza. A fe mía que aquel hombre se había olvidado por completo de la dueña Catalina Solís—. Los flamencos a los que buscamos, por ejemplo. Ellos vienen y se llevan la sal. ¿Han robado? Naturalmente, porque esa sal no les pertenece y la cogen de balde sin pagar arbitrios ni derechos de ninguna clase. Si la roban y no tienen una patente de corso del rey, que, en este caso, es el suyo y el nuestro y el mismo que les prohíbe tocarla, son piratas. Si tuvieran esa patente, serían corsarios, y ellos dicen que lo son porque tales patentes se las expiden sus nobles y sus dirigentes rebeldes. Si mercadearan ilícitamente, como sin duda hacen, serían contrabandistas. Así pues, ¿qué son, en realidad, los flamencos que roban la sal de Araya?

—¿Piratas? —aventuré.

—Posiblemente, hijo, posiblemente...

No avistamos ninguna urca durante nuestro viaje pero, como era habitual, nos cruzamos con algunas otras naos de mercaderes de trato como nosotros y, a la altura de la bahía de Maracaibo, con un pequeño navío de aviso que, rápido como el viento, en menos de tres semanas había cruzado los mares para traer, desde España, las cédulas y cartas reales, los despachos del Consejo de Indias[3] y el correo para los dignatarios y gobernadores de Tierra Firme, Nicaragua y el Pirú. Los del aviso nos gritaron que detrás de ellos venía otro más, una zabra enviada por la Casa de Contratación de Sevilla[4] con correspondencia para los grandes mercaderes de Tierra Firme y Nueva España. Era tanta la importancia del correo que llevaban estos veloces navíos que, además de venir cifrado, debía ser arrojado al mar antes de que la nave fuera atacada o tomada por enemigos o piratas. En cambio, las cartas de los particulares iban y venían en los barcos de las flotas, así que había muchos colonos que no sabían nada de sus familias en España (ni éstas de ellos) desde hacía más de un año. Los del aviso nos gritaron también que habían visto barcos piratas ingleses a la altura de las islas de Barlovento mas, como ellos eran tan rápidos,[5] habían escapado sin problemas de las grandes y pesadas naos británicas.

Antes de verlos desaparecer en lontananza, mi padre aprovechó para preguntarles si traían advertencias

3. Creado en 1524. Era un órgano consultivo que asesoraba al rey en el gobierno del Nuevo Mundo.

4. Fundada por los Reyes Católicos en 1503 para controlar el comercio con las Indias. Dirigía y fiscalizaba todo lo relativo al comercio monopolístico con el Nuevo Mundo.

5. Por orden real, los avisos eran barcos pequeños y ligeros, de menos de sesenta toneladas. Además de llevar el correo, anunciaban la llegada de las flotas y comunicaban entre sí a los barcos que las integraban.

de la salida de Los Galeones para aquel año, a lo que ellos respondieron que no, que no había noticia de ninguna flota para Tierra Firme y que no habían visto ni movimiento de mercaderías ni de barcos en el puerto de Sevilla.

—Dentro de poco —manifestó mi padre con pesar—, comenzarán a escasear, y mucho, todos los bienes necesarios. Las cosas se van a poner mal.

—Yo ya he visto a las gentes —aseguró Mateo, el espadachín— vestir ropas hechas con las cobijas de las camas y las telas de las colgaduras.

—Sí, yo también —asintió Jayuheibo.

—Pues no tardaréis en volver a verlo —repuso mi padre, dirigiéndose hacia la toldilla para encerrarse en su cámara.

La lluvia nos acompañó durante toda la penosa travesía hacia Araya, obligándonos a achicar agua no sólo por la mañana sino todo el día y, por más, se nos vino encima un terrible temporal cerca de La Borburata que nos obligó a asegurar firmemente la carga de a bordo y a dejar la nave mar al través, amainando el velamen y confiando en que Guacoa gobernara bien el timón para contrarrestar los movimientos del oleaje. Juanillo y Nicolasito sufrieron unas bascas terribles y mi padre los mandó a las bodegas para vigilar las mercaderías porque, dijo, esas cosas se pasaban de unos a otros con mucha facilidad y, al final, íbamos a terminar todos malos. Salimos de la tormenta cerca de Punta Araya y, tras reparar con presteza los daños de la nao, guindamos velas y arrumbamos hacia las salinas con la esperanza de toparnos con una de aquellas urcas flamencas y liquidar el asunto con presteza. Pero como las urcas, según supimos luego, surcaban los mares en flotillas de a seis o de a ocho barcos y permanecían juntas hasta después del tornaviaje, era imposible que encontráramos a una de ellas mareando sin las demás. En cambio, en cuanto nos acercamos al puerto de Araya —una tarde, después del mediodía—, divisamos la escuadra completa de naos panzudas, atracadas en formación defensiva y con todas las dotaciones a bordo y las artillerías de cubierta listas para ser utilizadas.

El estruendoso disparo de un cañón nos advirtió que no debíamos avanzar más. La pelota de piedra no iba dirigida contra el casco de nuestro jabeque pues se hundió en el mar con grandes salpicaduras de agua, a unas sesenta varas de la proa, por el lado de babor.

—Aquí nos quedamos —dijo mi padre, mirando la flota flamenca—, no sea que quieran hundirnos.

—Quizá debería hablar con ellos, maestre —propuso Lucas.

—Hazlo. Anúnciales que queremos comerciar.

Lucas se subió al bauprés, en la proa, y, agarrado por las piernas como un mono, se puso las manos alrededor de la boca y gritó sus galimatías. Los flamencos contestaron y él tornó a gritar. Luego, bajó del bauprés y volvió junto a mi padre.

—Señor Esteban, piden que mandemos a alguien para parlamentar.

—Sea —repuso mi padre con semblante grave.

Nada de aquello le gustaba y sólo por caudales se avenía a tales tratos, mas lo peor era que, desde el momento que empezara sus acuerdos con aquellos flamencos, él mismo sería, ante la ley, un contrabandista y eso representaba una carga muy grande para un hidalgo tan orgulloso y honesto como él, que ya se había visto en la necesidad de pactar alianzas con cimarrones buscados por la justicia. Tantos disgustos, a su avanzada edad, me hacían temer no tanto por su salud como por su vida, pues le veía desgastarse y consumirse de día en día.

Bajamos el batel al mar y mi padre, Lucas, Jayuheibo y Antón embarcaron y partieron rumbo a la nave capitana de la flota. Tardaron mucho en regresar. La lluvia arreció y los que habíamos quedado en la *Chacona* nos entretuvimos jugando a naipes aunque, esa tarde, hasta Rodrigo parecía un palomo blanco, como dijo él que llamaban a los jugadores nuevos e ignorantes en los garitos. Cuando Nicolasito, que vigilaba a los flamencos, gritó que el batel regresaba, volaron los naipes y, estando ya todos mirando por la borda, fue cuando cayeron al suelo, tanta era la preocupación y el ansia que nos consumía.

Mi padre subió a bordo el primero. Venía apesadumbrado y silencioso y se fue a su cámara sin decir nada. Jayuheibo y Antón se quedaron recogiendo el batel mientras Lucas, mi maestro, se sentaba en la cubierta mojada por la lluvia para contarnos lo que había ocurrido:

—A fe mía que esos flamencos son duros negociantes —empezó a decir el de Murcia tentándose las barbas—. Dicen que sólo quieren tabaco a trueco de las armas, que nada más les interesa mercadear y que quieren grandes cantidades.

—Grandes cantidades no sé si encontraremos —declaró Rodrigo, preocupado.

—Venía en el batel comentando con el maestre —continuó diciendo Lucas— que, con los abastos que llevamos en las bodegas, podemos adquirir algo de tabaco en los mercados de Cartagena, Cabo de la Vela, Cumaná y Margarita, donde se hallan las principales plantaciones de Tierra Firme. Las arrobas de tabaco que saquemos, sean muchas o pocas, se las traemos a estos flamencos. Ellos nos dan armas y nosotros se las entregamos a los cimarrones que, a su vez, nos pagarán con plata del Potosí. Con esta suma, a ser posible, tratamos esta vez con los plantadores de tabaco de los lugares mentados y, como faltan caudales por toda Tierra Firme y nosotros llevaremos plata contante, pactamos unas cantidades y unos precios, de suerte que obtengamos más arrobas por menos dineros. Cargamos la nao con el tabaco y regresamos, empezando de nuevo. En cada viaje ganaremos un poco más.

—¿Pero han exigido alguna cantidad? —quise saber.

—No, estos bribones no han querido convenir nada —me respondió mi maestro de escuela—, pero sí han dicho que, cuanto más tabaco, más armas. En esa oronda nao de dos palos había uno de Middelburg llamado Moucheron,[6] quien manda en este sitio, que parecía más dispuesto a negociar. Los otros, los maestres de las urcas, han dicho que ellos, con la sal de piedra ya ganan bastante y que, si queremos armas, tendremos que comprarlas con mucho tabaco en rama,[7] una mercadería que se vende a precio de oro en las ferias de Amberes. Estaban enfadados porque dicen que el rey de España, aconseja-

6. Daniel de Moucheron, aventurero y corsario zelandés, activo en el Caribe durante doce años. Miembro de una importante familia de comerciantes flamencos. Muerto en Punta Araya en noviembre de 1605.

7. En hojas, al natural o secas.

do por el gobernador de la cercana Cumaná, don Diego Suárez de Amaya, está pensando en envenenar la salina para que ellos no puedan trabajar aquí.

—¿Y por qué, en lugar de envenenar la salina —pregunté, extrañada—, no la explotan los cumaneses y España se la vende a cualquier otra nación? Ganaríamos todos, pues el rey tendría sus caudales de los impuestos y los cumaneses sus buenos maravedíes.

—Vives muy engañado, Martín —me dijo Rodrigo, socarrón—. Has de saber que el rey quiere derrotar a toda costa a estos rebeldes flamencos para mantener unido su imperio, así que, además de combatirlos con ejércitos les cierra los mercados y les prohíbe comerciar con España. Sólo en esta guerra se gastan, todos los años, más de tres millones y medio de ducados,[8] dineros que salen de las rentas reales y que hacen del rey un recaudador insaciable que nunca exprime bastante a sus súbditos ni tiene suficientes riquezas ni acumula demasiados préstamos de los banqueros de Europa. Por más, España abastece de hombres los Tercios y las Armadas, y no hay bastantes padres, hermanos, hijos ni parientes para proveerlos. Perderemos Flandes, Martín, puedes estar seguro, pero, en el entretanto, España volverá a arruinarse una y otra vez, como ya ha sucedido, y las oportunidades

8. Por aproximación, 3.500.000 ducados serían 175.000.000 euros. El valor monetario de 1 ducado estaría entre los 40 y los 60 euros. Hay que contar, además, con que, en el año 1600, España tenía, sin Portugal, sólo 9.847.000 habitantes, según cálculos de Ruiz Almansa, citado en *La Península Ibérica desde el siglo XVI al XVII*, de Manuel Lucena Salmoral, Editorial de Cultura Hispánica, Madrid, 1989.

de buenos negocios, tal que éste de la salina de Araya, se extraviarán en manos de gentes más listas que nosotros. Tú dile al gobernador Suárez de Amaya que ponga a trabajar a sus gentes en la salina y te dirá que no puede porque tienen que sacar perlas de los ostrales y te dirá también que no dispone de bastantes hombres para protegerla de los piratas flamencos porque el mismo rey que le exige una gran producción perlífera para su Caja Real no le envía soldados, ni barcos, ni armas suficientes. Así pues, Martín, perderemos Flandes, perderemos la sal de Araya, perderemos el imperio y España seguirá siempre en bancarrota.

—¡Basta, Rodrigo! —la voz de mi señor padre sonó como uno de los truenos de aquella tormenta que volvíamos a tener encima—. ¡Ya te tengo dicho muchas veces antes de ahora que no quiero oír lamentos de este jaez! ¡Al trabajo! Zarpamos rumbo a Margarita. Volveremos a Cumaná en el tornaviaje.

Juro cierto que aquellos años de constante trabajo, de contrabando, de peleas con los flamencos por las armas (nunca tenían bastante tabaco), de miedo a la ley y a la justicia, de encuentros clandestinos con Benkos, de mercadeo con los plantadores, de idas y vueltas por la costa de Tierra Firme, con buen tiempo, mal tiempo, siempre temerosos de encontrarnos con los piratas ingleses, ora llevando tabaco a Moucheron, el de Middelburg, que nos hacía de intermediario con los maestres de las urcas, ora despistando a las autoridades, a los conocidos, a otros mercaderes —amigos y enemigos—, e, incluso, a los oficiales reales de las aduanas, juro cierto, digo, que aquellos años resultaron muy duros para todos, mas, pese a ello, debo confesar que también fueron, secretamente, venturosos y felicísimos para mí, pues comparándolos con los que había pasado en Toledo me sentía la más dichosa de las mujeres por disfrutar de semejante libertad y por poder vivir aquellos peligrosos lances. Mis sentimientos debían de ser muy parecidos, me decía yo, a los de los cimarrones del rey Benkos cuando huían de la esclavitud hacia la libertad de las ciénagas y las montañas.

Sin embargo, en modo alguno fue así para mi padre. Ganó muchos caudales, sin duda, pero su humor, antes amable, se tornó agrio, su carácter duro y su gallardo porte volvióse el de un anciano cansado. Madre (la señora María) temía tanto por él que le prodigaba hartos cuidados maternales, desatando su ira, ahora rauda y fácil, y provocando tumultuosas peleas de las que yo escapaba saliendo por la puerta de la cocina con *Mico*, el pequeño y viejo mono, que se asustaba mucho con los desaforados gritos de sus dueños.

Cada cuatro meses visitábamos a Melchor de Osuna para pagarle el obligado tercio y yo seguía prometiéndome que, algún día, salvaría a mi padre de aquel ladrón, aunque como al presente teníamos dineros, ya no nos costaba reunir los veinticinco doblones. No es que nadáramos en la abundancia, pues tampoco éramos grandes mercaderes como los hermanos Curvo, los primos de Melchor, cuya gran fama se me hizo conocida a fuerza de visitar los mercados y ciudades de Tierra Firme, mas vivíamos bien, si por vivir bien se puede considerar estar siempre preocupados por si éramos descubiertos. Al abandonar el trato de otras mercaderías y comprar sólo tabaco, pronto fue de conocimiento público que el señor Esteban se había pasado al contrabando. Teníamos el tiempo contado y lo único que importaba era retrasar el momento en el que las autoridades y los alguaciles encontraran probanzas valederas en nuestra contra o testigos dispuestos a hablar.

En Santa Marta, como era de suponer, todos los vecinos (menos el gobernador) estaban al tanto del cambio de intereses de mi señor padre, aunque era tan grande el aprecio en el que le tenían que ninguno se fue nunca de la lengua por descuido. Al ser yo considerada su hijo y, por más, apreciada en general, muchos de los del pueblo se me acercaron para decirme, enhilando frases turbadas, que a ellos nada se les daba de los negocios de mi padre y que, por lo mismo, nada sabían ni dirían. Para mantener abierta la tienda, madre puso al frente a una de sus mozas y los bienes se compraban, de tapadillo por las apariencias, a los comerciantes de trato que acudían a la mancebía.

A finales de la estación seca[9] del año mil y seiscientos y uno, escapamos por los pelos del corsario inglés William Parker, que apareció en Margarita en el momento justo en que nosotros nos marchábamos con nuestro cargamento de tabaco. En la boca de la bahía nos cruzamos con el navío *Prudence*, de cien toneles, seguido por el *Perle*, de setenta, que, por fortuna, nos ignoraron. Mi señor padre ordenó guindar todo el velamen y buscar barlovento para alejarnos prestamente de allí y, así, poder dar aviso de la presencia del corsario en nuestras aguas a todos los navíos con los que nos cruzáramos y en todas las ciudades por las que pasáramos. Lo hicimos, mas sin nin-

9. La estación seca va desde noviembre hasta mayo y la de lluvias desde junio hasta octubre.

guna ganancia a lo que se vio, pues luego supimos que, siguiendo nuestra misma derrota, tras asaltar y robar en Margarita y en Cubagua, Parker había desembarcado con sus hombres en Cumaná, enfrentándose a un pequeño piquete de soldados a los que masacró, llevándose una buena cantidad de perlas. Desde Cumaná se dirigió a Cabo de la Vela, donde apresó un barco portugués con una carga de trescientos setenta negros y, al tiempo que nosotros anclábamos en Santa Marta (a la que, por fortuna, dejó en paz), él capturó Cartagena en la cual, pese a los numerosos soldados y defensas de la ciudad, apenas encontró resistencia, y allí se hizo con un cuantioso botín. De Cartagena fue a Portobelo, se apoderó de los caudales de la Caja Real y de más de diez mil ducados, y según tengo para mí, luego volvió a Inglaterra.

Pero Parker no fue el único que asoló nuestras costas aquel año. Promediando la estación lluviosa, otro británico atacó Curaçao, Aruba y El Portete. No llegamos a saber su nombre. Poco después, el corsario Simon Bourman saqueó todas las poblaciones entre Cumaná y Río de la Hacha. Menos mal que éste fue capturado por las autoridades. Y, para remate del asunto, por si no teníamos bastante con las rapiñas de los ingleses, los flamencos empezaron también a desempeñarse en negocios tan provechosos como el secuestro y el robo. Cuando mi padre, a través de Lucas, mencionó el asunto a Moucheron, que aquel día nos había invitado a visitar la salina, el de Middelburg vino a decirle, mientras se rascaba la cabeza con ahínco, que lo habían hecho holandeses de otras provincias y que con su pan se lo comiesen y lo disfrutasen, pues mientras Su Majestad les cerrase los mercados del imperio, ellos harían lo que les viniese de gusto.

Muy poco me agradaba a mí el tal Moucheron, aunque era de justicia reconocerle el buen gobierno y la organización de los trabajos de la salina. Pasándome un brazo por el hombro como si fuese mi padre o un buen amigo, nos condujo, iluminándonos con un farol, por los enormes maderos que servían de puentes sobre la extensa mina de sal, que tenía legua y media de circunferencia. Era de noche, pues de día no se podía ni estar allí ni trabajar por el ardiente calor que, a lo que dijo, mataba a los hombres. Pero, con sol o con luna, la pujanza de la sal era tan atroz que se comía el grueso y recio cuero de las botas, corroyéndoles los pies a los trabajadores, de cuenta que tenían que usar chanclos de madera que tampoco aguantaban demasiado. Moucheron nos enseñó las faenas que estaban haciendo los flamencos: unos, con picos y piquetas, golpeaban la piedra para que otros, una vez suelto el bloque, lo levantaran con la ayuda de grandes palancas de hierro acerado y lo dispusieran sobre unas chalanas que eran arrastradas hasta los puentes por cinco o seis hombres fuertes. Desde allí, con unos carros pequeños de dos ruedas tirados por caballerías, los bloques de sal eran llevados hasta la playa, a unos setecientos pasos de distancia, para ser cargados en los bateles de las urcas, en cuyas bodegas descansarían hasta llegar a Flandes y ser vendidos a muy buenos precios.

—No puedo dejar de pensar —musitó Rodrigo con rencor— que esta sal es nuestra y que nos la están robando.

—Olvida eso ahora —le replicó mi padre, también en susurros—. Que mande tropas el rey y lo resuelva. Nosotros sólo queremos armas.

Y armas tuvimos, y muy buenas. Excelentes, en verdad. Con ellas, el rey Benkos defendió sus cada vez más numerosos palenques, que ya se esparcían desde Cartagena hasta Río de la Hacha. Siempre había alguno de ellos que, según informaban los confidentes, estaba a punto de sufrir un próximo asalto y Benkos nos pedía pertrechos de continuo. Le conseguimos excelentes arcabuces de rueda de doble quijada, mosquetes con llave y mosquetes de borda con serpentín, que eran los que él más quería, además de pólvora, plomo y mecha en abundancia. El palenque más cercano a Santa Marta era uno que había fundado su hijo en la margen derecha del río Magdalena y Benkos pasaba allí, a menudo, largas temporadas, durante las cuales mi señor padre, como sólo estábamos a unas pocas horas de distancia a caballo, le hacía largas visitas. Ahora, el rey Benkos y él compartían algo muy importante: ambos huían de la justicia y sus vidas estaban marcadas por el temor a dar con sus huesos en las galeras del rey, en el mejor de los casos, o en el cadalso, en el peor. Alguna vez yo le acompañaba y disfrutaba con los bailes y las extrañas ceremonias africanas que celebraban aquellos esclavos fugados, satisfechos de poder comportarse de acuerdo a sus antiguas costumbres lejos de los malos tratos, las vejaciones y las obligaciones de una religión que no era la suya. Madre también se habituó a venir y pronto hizo buenas migas con la mujer de Benkos (una de las mujeres de Benkos, la principal, pues tenía otras), así que, cuando en la estación seca del año mil y seiscientos y dos, el entonces gobernador de Cartagena, don Jerónimo de Zuazo Casasola, organizó un numeroso ejército para asaltar los palenques de la Matuna, el rey Benkos, informado de ello, dejó al cuidado de madre a las mujeres y a los niños en el palenque de Santa Marta y se enfrentó a los hombres del gobernador en una dura batalla que duró varios días. De no haber tenido las magníficas armas que le habíamos vendido, hubieran sido derrotados pero, gracias a ellas, ni un solo cimarrón cayó en manos de los soldados, si bien, tras la victoria, se vio que las labranzas y los bajareques habían quedado destrozados y que se imponía cambiar de lugar, buscar otro más abrupto y selvático, más alejado de Cartagena. Fue entonces cuando se fundó el gran palenque de los montes de María, más al sudeste, que nunca fue conquistado.

Otro acontecimiento importante ocurrió aquel año y por aquel entonces. Cierto día, estando yo ocupada en mis lecturas, disfrutando de encontrarme en casa entre un viaje en la *Chacona* y el siguiente, mi padre entró en mi aposento con un papel en la mano. Venía sonriendo, cosa ya extraordinaria para entonces, y su actitud volvía a ser tan briosa como en los primeros tiempos.

—¿Qué le pasa, padre? —pregunté, devolviéndole la sonrisa.

—¿Quieres escuchar lo que dice esta carta?

—Si vuestra merced lo desea, por supuesto —repuse, sentándome bien y dejando el libro sobre mi mesa-bajel. Lo bueno de los calzones era que se podían poner los pies sobre la cama sin problema, cosa que con las enaguas y las sayas hubiera resultado muy incómodo.

Tomó asiento en la otra silla del cuarto y se caló los anteojos:

—«A treinta de mayo de mil y seiscientos y dos —empezó a leer con su vozarrón grave—. Por la presente, Esteban Nevares, hidalgo, vecino de la ciudad de Santa Marta, ubicada en la provincia de Tierra Firme, dice que suplica a Vuestra Alteza le haga la merced de mandar legitimar a un hijo suyo natural que hubo con una india arawak de Puerto Rico, soltera como él y vasalla Vuestra, para honras y oficios y para que le pueda heredar sus bienes y hacienda por no tener otros legítimos ni naturales. El hijo se llama Martín Nevares y es de dieciséis años poco más o menos y benemérito y virtuoso. Esteban Nevares lo reconoce por tal su hijo natural para que en testamento le pueda heredar y suceder y que goce de todas las otras honras, preminencias y libertades que gozan y pueden gozar los que son nacidos de legítimo matrimonio. Suplica ser oído por Vuestra Alteza y que Vuestra Alteza mande que así se haga y disponga que en ello reciba merced.»[10]

Alzó la mirada del papel, pasándola por encima de los anteojos, y añadió:

—El documento está firmado y rubricado por mí y por el escribano público Baltasar de la Vega, y dirigido a su Real Majestad Felipe el Tercero. Sólo es la copia que me dieron, pues el original salió en el aviso que partió de Cartagena hace dos semanas rumbo a Sevilla.

—A fe, padre... —murmuré. Tenía un nudo tan grande en la garganta que no me pasaba el aire—, que, a lo que se ve, vuestra merced está muy loco.

—No te dé pena ese cuidado —respondió él, contento—. Sólo quiero saber qué te parece.

10. Basado, con cambios y adaptaciones, en la carta de un ciudadano alemán, vecino de Coro, quien solicitó, en 1569, la legitimación de dos hijos naturales habidos con una india. Referencia AGI. Santo Domingo 207, n.º 29. Transcripción y revisión: L. De Stefano y M. González. Revisión final: S. D. Maldonado.

—¿Qué me va a parecer? —sonreí, con los ojos llenos de lágrimas—. Que queréis prohijar a un tal Martín Nevares de dieciséis años que no es sino una mujer casada, por nombre Catalina Solís, de casi veinte. Por eso digo que vuestra merced está muy loco y que no hace sino locuras.

—¿Qué se le ha de dar al rey Felipe si Martín es Catalina o si Catalina es Martín? Por cualquier desgracia que me pudiera pasar —afirmó con repentina seriedad—, quiero que tú, como hijo mío, te llames Martín o te llames Catalina, cuides de María como si fuera tu propia madre, de los hombres de la *Chacona* y de las mozas de la mancebía, y que resuelvas todo lo que quede por poner en ejecución. Quiero que los mantengas unidos, que les procures prosperidad y ventura, y todo esto, si no tienes documentos de legitimidad, no podrás llevarlo a cabo. Ya sabes que, cuando yo muera, Melchor de Osuna se quedará con la casa, la tienda y la nao. Obligación tuya será hacerte cargo de nuestras gentes y sacarlas adelante como si fueras yo. Éste es mi trato, ¿lo aceptas o no? Acéptalo, muchacho, o te tiro por la ventana.

—Lo acepto, padre, lo acepto —exclamé, sonriendo.

—¡Sea! —aprobó, satisfecho, y, poniéndose en pie, me pasó la mano por el cabello con afecto—. Dentro de unos meses llegarán tus nuevos documentos. Estos asuntos de prohijamientos del Nuevo Mundo no encuentran complicaciones en la corte. Se admiten todos, así que tendrás que preparar otro canuto de hojalata para tu nueva identidad. —Me miró, aún más sonriente que cuando había entrado—. ¿Quién sabe...? Quizá algún día utilices tus dos personalidades según tu voluntad y conveniencia. Me gustaría, si tal ocurriese, estar vivo para verlo.

Soltó una carcajada y salió del cuarto, dejándome emocionada y llorosa. Los papeles se retrasaron hasta el año siguiente, el de mil y seiscientos y tres, un año que, por más de ser el de la muerte de la reina Isabel de Inglaterra, lo que podría haber significado un tratado de paz con esa nación que pusiera fin a las malditas incursiones de sus piratas y corsarios, resultó especialmente duro para el rey Benkos, pues los asaltos a los palenques arreciaron y las jaurías de perros carniceros, adiestrados para correr por los montes y los cañaverales y descuartizar a los negros, hicieron incontables matanzas. Con todo, los esclavos que huían de las ciudades para unirse a Benkos eran cada vez más numerosos y los propietarios empezaban a estar desesperados. Hubo muchas reuniones oficiales en Cartagena y en Panamá para intentar resolver el problema y la solución que se adoptó a la postre fue la de utilizar a cimarrones traidores que obtenían su libertad guiando secretamente a los soldados hasta los palenques. No les resultó fácil hallar solicitantes pese a los muchos pregones y requerimientos que se hicieron por toda Tierra Firme, pero alguno hubo que se la jugó, que ejerció su papel de Judas y que, por desgracia, acabó muerto a cuchilladas en las mismas calles a las que había querido volver como negro libre al precio de las vidas de otros.

Trabajamos mucho en mil y seiscientos y tres. Realizamos incontables viajes en la *Chacona* porque los flamencos querían cada vez más tabaco por la misma cantidad de armas. Moucheron, fumando orgullosamente su fina y curvada pipa y sonriendo con fingimiento, nos advirtió cierto día de que, si no traíamos más arrobas, él mismo nos denunciaría por contrabandistas a las autoridades españolas y aseguró tener medios para ponerlo en ejecución sin correr ningún peligro, pues sus relaciones con dichas autoridades habían llegado a ser excelentes gracias a su propio trato ilícito con ellas. A mi señor padre se le descompuso el rostro y le vi tragar saliva como quien traga veneno, pero nada dijo. Sabía que la flota de aquel año, la del general Jerónimo de Portugal, había traído pocas y malas mercaderías y que las ventas en la feria de Portobelo habían sido realmente escasas. Los colonos, autoridades incluidas, no podían más que recurrir al contrabando. Desde entonces, cuando no era tiempo de cosecha, aprovechábamos el pago de los tercios para comprar en Cartagena algunas arrobas de tabaco jamiche, el de baja calidad que se había estropeado durante el secado. Como Moucheron quería más arrobas por el mismo precio, le colábamos, sin remordimientos, algo de jamiche en el tabaco bueno recién cosechado. También desde entonces, nuestras singladuras llegaron hasta Puerto Rico y Santo Domingo, en la isla La Española,[11] en busca de grandes plantadores de tabaco, mas no podíamos alterar los mandatos de la naturaleza y si sólo había dos cosechas al año, no podíamos hacer que hubiera tres, por mucho que lo necesitáramos. Así que, de septiembre a noviembre y de abril a junio no descansábamos ni un solo día, cruzando el Caribe de este a oeste y de norte a sur.

A consecuencia de tanto viaje, a finales de la estación seca de mil y seiscientos y cuatro, la *Chacona* mareaba ya con mucha dificultad y se hundía excesivamente en el

11. Actualmente, dividida entre Haití y la República Dominicana.

agua por el peso de la tiñuela y los percebes que acumulaba en el casco. Por ello, días después de recoger un cargamento de tabaco en Cabo de la Vela, mi padre decidió, hallándonos a pocas horas de La Borburata, que allí, en aquella magnífica rada de aguas quietas y someras llamada puerto de la Concepción, carenaríamos la nave. A todos sin excepción nos alegró la noticia pues La Borburata conservaba, de sus buenos tiempos como granjería perlífera, una alegre vida portuaria. Era un villorrio pequeño y amurallado —aunque pobremente—, cuya bondad atraía a numerosos navíos necesitados de carenado, reparaciones o avituallamiento. Ésa era la razón de que siempre hubiera tantos marineros rondando por su puerto. El cercano río San Esteban permitía, por más, hacer aguada y sus casas de tablaje no sólo eran famosas por todo el Caribe sino que constituían lugares excelentes para enterarse de las nuevas de Tierra Firme y para volver a ver a viejos conocidos. También había una mancebía aunque, desde luego, no gozaba del excelente prestigio de la de madre.

La primera jornada de nuestra estancia en La Borburata nos deslomamos rascando el casco de la nave desde que empezó el primer reflujo de la marea. Mis compadres, a imitación de Guacoa y Jayuheibo, hacían aguas menores sobre sus manos sin el menor recato (pues decían los indios que la orina era buena para las heridas y para las resquebrajaduras y quemaduras de la piel), mas yo tenía que retirarme discretamente invocando algún pretexto para remojar las hilas[12] con las que me envolvía

12. Trozos de tela vieja que se hervían y se utilizaban como vendas y gasas.

los dedos para calmar el dolor. Por fin, al anochecer, tras cenar alegremente en la playa, no quisimos aguardar más y nos adentramos en la plaza, cuyo mercado tantas veces habíamos visitado antes de convertirnos en contrabandistas. Muchos eran los caminantes que saludaban a mi señor padre y muchos también los que se hacían los locos para no ser vistos en su compañía por los dos alguaciles que paseaban orgullosamente arriba y abajo de las estrechas y descuidadas callejuelas de La Borburata, vigilando a los marineros borrachos, los músicos callejeros, los mendigos, los buhoneros y los espadachines matasietes que hormigueaban por allí.

Pronto nos separamos y cada cual tiró hacia los lugares de su gusto. Mi señor padre, como acostumbraba, se fue hacia la taberna más concurrida del lugar y yo, que le seguía los pasos, me vi frenada por las voces de mi compadre Rodrigo:

—¡Hermano Martín! —me llamó entre la algarabía—. ¡Hermano! ¿Quieres conocer un garito de juego?

Mi padre, que le había escuchado, denegó con la cabeza mientras me miraba.

—¡Padre, hacedme la merced! —le rogué, entusiasmada con la idea de visitar un tablaje verdadero—. Os doy palabra de no perder caudales. Sólo quiero mirar, os lo juro.

—¿Cómo vas a perder lo que no tienes, palomo? —repuso él, ablandándose.

—¡En verdad, padre, en verdad que sólo quiero mirar! —supliqué, emocionada, y, así, le hice grandes juramentos de buen comportamiento y discreción y puse por testigo y valedor a Rodrigo quien, por más, dio palabra de llevar gran cuidado de mí y de restituirme entero, sin un rasguño. Tanto insistimos entrambos que mi padre se rindió al fin y me dio licencia.

—Pero que no juegue, Rodrigo —ordenó, dándonos la espalda y alejándose.

—No tocará un naipe, maestre. Os lo juro.

—¿No? —susurré, despechada.

—No, Martín —confirmó el antiguo garitero, arrastrándome por las animadas callejas—. Está bien que conozcas las casas de tablaje y que aprendas las cosas que allí se hacen para que quedes protegido del vicio de los naipes, que a tantos arruina la vida por todo lo descubierto de la tierra, pero sólo para eso te llevo, para que cuando seas hombre y dispongas de libre albedrío, avisado estés de los peligros del juego.

No era eso lo que yo deseaba oír, pero si a su conciencia le venía de gusto sermonear, sea, que sermoneara mientras no se arrepintiera de llevarme. No me importaba escuchar sus consejas a trueco de visitar, por fin, una de esas famosas casas de naipes, también llamadas leoneras o mandrachos. De camino, tropezamos con muchos muñidores ejerciendo su oficio, que no era otro que el de atraer a jugadores para que los tahúres los desplumaran.

El tablaje en el que entramos era un bajareque grande, compuesto por muchos aposentillos que llamaban garitas. En cada una de ellas, bajo un candil que colgaba del techo, había una mesa protegida por un lienzo grueso, a modo de tapete, que ocupaba el lugar principal. Sentados a ella y con los naipes en la mano estaban los jugadores, ajenos a cuanto los rodeaba y a la multitud de mirones que les quitaba el aire. Seguí a Rodrigo por los estrechos y oscuros corredores a cuyos lados se distribuían las garitas y fuimos a dar, por fin, a una en la que estaba a punto de comenzar la partida. Por lo que yo había visto, aquella noche en todas las mesas se jugaba a la primera[13] y, como por experiencia sabía que no había enemigo para Rodrigo en este juego, me las pinté muy felices y entretenidas.

El de Soria tomó asiento en la silla vacía y puso dineros sobre el lienzo. Allí se jugaba a estocada, apostando, y no había lugar, a lo que deduje por las caras, para las bromas y chanzas que acontecían en la *Chacona.* Los jugadores estaban serios y los mirones que pronto empezaron a llegar formaron bandos tan enconados como ejércitos enemigos. Al punto, apareció el garitero, un hombre de apariencia brutal, acompañado por una corte de ayudantes o sirvientes entre los cuales, a más de algunos desuellacaras, vi a uno, un prestador, que le entregó caudales al individuo sentado a la diestra de Rodrigo. No le hizo firmar papel alguno, mas no parecía que aquél pudiera escapar de allí sin saldar su deuda o perder la vida. Más tarde supe que, entre todas aquellas gentes de guarnición que seguían al garitero, había uno al que, por su oficio, llamaban contador, y que llevaba de memoria las cuentas de todo lo ganado y lo perdido en las partidas y de todo lo prestado, pagado y debido tanto a su amo como entre los jugadores.

Como digo, entró el garitero y puso una baraja de naipes nueva sobre la mesa.

13. Juego de naipes muy popular. Inventado en España a finales del siglo xv, se extendió por todo el mundo (véase *Léxico del naipe del Siglo de Oro,* M.ª Inés Chamorro Fernández, Ediciones Trea, 2005).

—Jueguen sin chanchullos, fullerías o floreos,[14] señores míos —solicitó, y algunos de los mirones sonrieron maliciosamente aunque sin apartar los ojos de la mesa.

Rodrigo cogió el mazo y lo barajó con desmaña. Conocí así que quería hacerse pasar por palomo blanco, aunque dudaba si le vendría en voluntad acumular ganancias poco a poco, partida a partida, o si, por mejor, pensaba dar un certero golpe de mano cuando todos estuvieran desprevenidos. Había también, además del que arriesgaba caudales prestados, otros dos jugadores sentados con mi compadre: uno era un palomo blanco de verdad, un anciano cultivador de Santiago de León,[15] muy educado y correcto, que había acudido al tablaje alentado por los muñidores del negocio; el otro era un vecino de allí mismo, de La Borburata, capataz de alguna hacienda, que había cobrado recientemente su salario y tenía los bolsillos llenos de maravedíes. Este pobre hombre, un cuarterón joven y fuerte de poco entendimiento, estaba más borracho que una cuba y no hacía otra cosa que pedirle a uno de los mirones que le sirviera ron aunque tenía la copa llena. A los mirones que actuaban como criados se los llamaba entretenidos y era costumbre que el jugador al que sirvieran les diera alguna dádiva al terminar la partida, pues eran gentes muy pobres y necesitadas que no tenían otro oficio con el que procurarse la comida. Pese a ello, el entretenido del capataz pronto se cansó de aguantar sus órdenes, burlas y desprecios y, como Rodrigo y los demás ya tenían servidores, abandonó la garita buscando otra partida y otro

14. Se llamaba *flor* a la trampa, picardía o astucia en el juego.
15. La actual Caracas.

jugador menos borracho y brusco. En suma, que mi compadre tenía aquella noche una notable ocasión para hacerse con unos buenos caudales.

El de Soria repartió y dio comienzo el juego. Pese a su aparente ignorancia, Rodrigo, con mucha gracia y arte, no dejaba ver sus naipes ni a quienes estábamos detrás de él y cuando, tras mucho rato y un último descarte, la mano se la llevó el cultivador (y también los dineros), supe que aún estaba tentando la mesa y a sus contrincantes. El que jugaba de fiado sonreía como quien sabe lo que está pasando y el capataz borracho alborotó mucho por aquella pérdida gritando que él tenía un flux (la mejor suerte y con la que se gana: cuatro cartas del mismo palo que corren seguidas) cuando, en verdad, sólo tenía primera (cuatro cartas, una de cada palo).

La segunda partida fue mucho más emocionante que la primera y nuestra garita se iba llenando de curiosos. Yo ni sabía ni era capaz de descubrir qué flores estaba empleando Rodrigo, pero me hallaba cierta de que las hacía, aunque el fin de las mismas no fuera ganar por el momento. Y, en esta ocasión, tras una hora de juego a lo menos, el cultivador de Santiago de León volvió a llevarse la mano con un cincuenta y cinco. El de fiado no pudo más y, ceremoniosamente, se levantó y se despidió de los presentes; ocupó entonces su silla el maestre de una carabela que estaba haciendo reparaciones en la rada desde hacía una semana.

Pero cuando, en la tercera de las largas partidas de aquella noche, mi compadre, por fin, arrambló con todas las ganancias de la mesa, el capataz borracho explotó como una bombarda, soltó injurias por la boca y, clavando un puñal en el tapete, amenazó con matar a todos los presentes:

—¡Malnacidos! —gritaba el energúmeno—. ¡Me estáis robando! ¡Que venga el alguacil inmediatamente! ¡Hay un fullero en esta mesa y yo he de sacarle el corazón con estas mis manos! ¡Nadie engaña al hijo de mi padre, a Hilario Díaz, capataz al servicio de Melchor de Osuna, familiar de los Curvo de Cartagena! ¡Favor de la justicia! —seguía berreando con hablar ebrio—. ¡Alguaciles, corchetes, están robando a un leal guarda de almacén que sólo quiere jugar honradamente unos maravedíes!

Mentar el borracho a Melchor de Osuna y trabarse mi mirada con la de Rodrigo fue todo uno.

El garitero y su corte aparecieron de inmediato. Entre varios sujetaron al cuarterón, que, habiendo rescatado el puñal de la mesa, intentaba clavárselo al anciano cultivador de Santiago de León.

—¡Vos..., canalla, bellaco! ¡Vos sois el fullero que me ha robado mis caudales! ¡Devolvédmelos ahora mismo, hideputa!

—¡Calla, asno! —le replicaba el garitero, abriendo paso a sus hombres, que arrastraban a Hilario Díaz fuera del pequeño aposento—. ¡Me estás espantando a la clientela!

—¡Alguaciles, corchetes...!

Un seco y fuerte puñetazo en el mentón le cerró la boca y el seso, pues silencioso y desmayado quedó al punto, colgando como un fardo entre los dos edecanes.

Rodrigo, que se mantenía a mi lado en aquella algarabía, me susurró:

—¿Recuerdas lo que te referí del contrato que firmó tu padre, diez años ha, con Melchor de Osuna?

Naturalmente que lo recordaba. Mi padre debía entregar a Melchor ciertas cantidades de lienzo brite e hilo de vela en unos establecimientos que éste tenía en tres ciudades de Tierra Firme. Sin duda, Hilario Díaz era el guarda principal del establecimiento de La Borburata, el capataz de los jornaleros que trabajaban allí para el de Osuna. Como la flota del año de mil y quinientos y noventa y cuatro no había traído ninguna de esas dos mercaderías, mi padre no pudo cumplir su parte del trato y Melchor exigió que se hiciera una ejecución en bienes por el total, usurpándole todo cuanto poseía.

—Las mejores flores para el fullero —me dijo Rodrigo calladamente— son las que le permiten conocer las cartas del contrario y, de ellas, la principal es aquella en la que un compadre pone un espejuelo detrás de los naipes del rival. ¿Qué te parece si hacemos que ese borracho sea nuestro espejo para ver lo que oculta Melchor de Osuna? —propuso Rodrigo.

—No podrías haberlo dicho mejor —repliqué, cogiendo mi chambergo rojo.

Rodrigo acopió sus monedas con presteza, las guardó en la faltriquera y se despidió de los presentes, echando unos pocos maravedíes al aire para alegría de mirones y entretenidos.

Salimos rápidamente de la casa de tablaje y, encontrándonos de nuevo en la calle, más vacía de gentes a esas horas, vimos a los hombres del garitero lanzar por los aires al tal Hilario, que fue a dar, clavado, sobre un charco de desperdicios.

—¡Ayúdame! —exclamó Rodrigo.

Echamos los dos a correr hacia el capataz y le sacamos la nariz del agua sucia para que no se ahogara. El pobre cuarterón, ya sin ínfulas, empezó a toser y, tras las toses, a echar las tripas, que le debieron de quedar muy limpias y vacías. Gemía como un torturado.

—Al puerto, Martín. Debemos darle un remojón.

De no ser por nuestra ayuda, el pobre capataz hubiera amanecido ahogado en las calles de La Borburata así que, bien mirado, teníamos todo el derecho del mundo a darle los remojones que quisiéramos. Le quitamos, de camino, un mugriento herreruelo pardo que traía y un capotillo negro, y le dejamos en calzas y jubón, con las sucias polainas caídas hasta la mitad de las piernas. El agua del mar estaba caliente y Rodrigo le zambulló varias veces hasta que se le limpió la mugre de la cara, las ropas y la mollera. Pronto, las nubes que cubrían sus ojos desaparecieron y empezó a recobrar el seso.

—¿Qué pasa? —preguntó, aturdido. Su sangre india le había engalanado con unos ojos rasgados y una nariz extensa y chata, y su sangre española con una piel blanca como el mármol, llena de pecas.

Le sentamos en la orilla de la playa y nosotros nos situamos mirando hacia el mar, de cuenta que la poca luz que llegaba desde la ciudad le diera a él en la cara mientras nosotros quedábamos ocultos en las tinieblas, escasamente iluminados por el brillo de la luna. La oscura sombra de nuestra *Chacona* se vislumbraba a unos cien pasos mar adentro, entre las otras naves allí varadas.

—Pasa que, esta noche, te hemos salvado de una segura muerte —le expliqué.

—¿Sois una mujer? —se sorprendió.

Mi voz, la oscuridad y los restos del ron le habían descubierto la verdad.

—¡Mira bien lo que dices, bellaco! —troné, apurada.

Rodrigo no abrió la boca—. ¡Soy un hombre y, por más, uno que te va a dar un guantazo que te hará olvidar hasta tu nombre!

Murmuró unas cuantas disculpas y, entretanto, se frotó los ojos repetidamente, como intentando despertar y ver las cosas como eran y no como a él le parecían.

—Háblanos de tu amo, Melchor de Osuna —le ordenó Rodrigo.

—¿De mi amo? ¿Por qué?

—Porque queremos.

—¿Y quiénes son vuestras mercedes?

—Ni te importa ni te lo vamos a decir —repuse yo muy digna, intentando recuperar mi condición de hombre con bravatas y alardes de esta guisa.

—Pues me marcho —declaró, intentando ponerse en pie.

—¿Adónde te crees que vas? —le increpó Rodrigo, dándole un golpe en las corvas que le hizo tambalearse y caer.

El capataz se asustó.

—¡Déjenme marchar, señores, no me retengan, por el amor de Dios! —imploró—. ¿Qué quieren vuestras mercedes de mí?

—Ya te lo hemos dicho, rufián —se burló Rodrigo—. Queremos que nos hables de Melchor de Osuna. Cuéntanos lo que quieras, no te importe saltar de una cosa a otra, pues todo nos interesa.

—¡Pero, pero... me matará!

—¡Cómo va a matarte, majadero, si somos buenos amigos suyos y le queremos bien! ¡Habla, que no será en daño ni en mengua suya!

—¡Mentís! ¡A otro perro con ese hueso!

Mi compadre perdió la paciencia y yo aprendí aquella noche una valiosa lección: cuando un hombre no quiere hablar, ponle una daga puntiaguda en la garganta y cantará como un canario. Hilario Díaz cantó mucho y muy bien. No le hicieron falta más razones y, entre confusos disparates de alcurnia —que tal parecía que el cuarterón caribeño fuera natural de Osuna, hermano de Melchor y familiar de los Curvo— y lacrimosos relatos de agravios, ultrajes y menosprecios que le había infligido su venerado amo a lo largo de los años, nos refirió cuantiosos chismes y rumores sobre Melchor: que si tenía varias mancebas, que si le había sacado un ojo a su esposa durante una paliza, que si jugaba mucho a los naipes y había llegado a perder en una sola partida diez mil maravedíes, que si tenía diecisiete hijos mestizos, que si había matado a dos hombres a sangre fría...

—Háblanos de sus oficios —le exigí, cansada de tanta necedad—. ¿Qué mercaderías guarda en ese establecimiento que cuidas?

Al cuarterón se le mudó el rostro y comenzó a trasudar, dando muestras de una muy grande alteración.

—¿Qué mercaderías va a haber? —protestó, estremeciéndose—. Las normales de cualquier almacén, cobertizo o barracón de mercader.

Rodrigo empujó la daga hacia dentro y el otro gritó.

—Amigo Hilario —le dijo jocosamente—, mira cuán poco me cuesta acabar contigo después de que el garitero te haya dado por ahogado esta noche en la calle. Si vuelves a gritar, te rebano el cuello.

—¡No hay para qué amenazas conmigo! —gritó el capataz, echando hacia atrás la cabeza por alejarse de la aguzada punta—. Sea. Os lo contaré todo, pues ya he comprendido lo que deseáis saber. De seguro que estáis intrigados por las mercaderías que mi señor vende a fuertes precios cuando faltan porque no las traen las flotas, ¿verdad?

—¿Qué dice? —me extrañé. Mi compadre se encogió de hombros.

—¡Explícate, bribón!

—Os juro, señores, que no sé cómo sabe mi amo qué mercaderías van a faltar, pero el caso es que, cuando él acumula en los almacenes abundantes partidas de rejas de arado, por decir, o de paños de Segovia o de cera o de vajillas..., tened por cierto que la próxima flota, si viene, o la del año siguiente, no traerá esos géneros. Por eso las puede vender tan caras, porque ni las hay ni las va a haber en mucho tiempo. ¿Era esto lo que os preocupaba, señores?

¿Qué estaba contando aquel grandísimo bellaco?, ¿que Melchor de Osuna sabía de antemano las mercaderías de las que iba a carecer Tierra Firme?, ¿que conocía por adelantado lo que traerían las flotas? Si aquello era verdad, y parecía una locura, sin duda se trataba de un engaño de dimensiones gigantescas pues, siendo Melchor un simple apadrinado, únicamente a través de sus primos los Curvo podía conseguir esas informaciones. Pero ¿cómo las conseguían, a su vez, los Curvo? O, por más, ¿quién determinaba, en España, con intención de sacar provecho, qué mercaderías vendrían o no al Nuevo Mundo y, luego, de algún modo, informaba de ello a los Curvo? La cabeza me daba vueltas y otro tanto le pasaba a mi compadre Rodrigo, que tenía la vista extraviada como la de un corcel encabritado.

—¿Estás seguro de lo que dices, despreciable bellaco? —intimidé al capataz—. ¡Mira que, si estás inventando calumnias, tu cabeza colgará de una pica antes de que vuelva a salir el sol!

—¡Sólo cuento lo que veo en mi almacén, nada más! Sé lo que entra, el tiempo que se queda y cuándo sale y no hay que ser muy listo para sumar dos más dos.

—¿Y seguro que no sabes cómo conoce por adelantado tu señor qué mercaderías van a faltar? —le preguntó Rodrigo con el rostro exangüe, intentando aparentar indiferencia.

—¿Cómo lo iba a saber? —protestó, pero se notaba que era una protesta falsa, que mentía—. ¿Creéis que puedo forzar a un señor tan principal como mi amo para que me explique cosas de semejante gravedad?

Los cazadores cazados, ésos éramos Rodrigo y yo. Si el capataz se iba de la lengua, estábamos muertos. No le convenía hablar, mas, si lo hacía algún día por la razón que fuere, Melchor de Osuna y sus importantes parientes nos hundirían en el fondo del mar con una roca atada a los pies.

—Es posible... —añadió el cuarterón con un sonsonete medroso—, en caso, naturalmente, de que resolvierais quitarme la daga del cuello, es posible, digo, que pudiera contaros más asuntos de vuestro interés.

Mi compadre, muerto de miedo, me hizo señas con la cabeza para que rechazáramos la oferta al tiempo que, sin piedad, hundía de tal modo la púa en el cuello del vendido que éste gimió de muerte.

—¡Basta, hermano! —voceé—. Déjale hablar.

—¡Por vida de...!

—¡Basta he dicho! Suéltale y que hable.

Rodrigo bajó la mano que empuñaba el arma.

—Os lo agradezco mucho, señor —murmuró el cuarterón, acariciándose la nuez.

—Habla —le ordené—. Habla o no saldrás vivo de aquí.

—Seguro que os interesa conocer que, años ha —empezó a contar—, supe que mi amo, aprovechando lo que sólo él sabía de las venideras flotas, engañaba a ciertos comerciantes de Tierra Firme haciéndoles firmar contratos por los cuales debían abastecerle de las mercaderías que iban a faltar. Como los mentados comerciantes no podían cumplir lo pactado, con la ley en la mano se apoderaba de sus bienes, y como, por más, todos eran de avanzada edad, sacaba un mayor provecho haciéndoles pagar una renta anual por el alquiler de sus antiguas propiedades pues esos hombres, por la poca vida que les quedaba, estaban grandemente apegados a ellas y mucho más temerosos de acabar en galeras. Las rentas eran beneficios añadidos a una ganancia ya cierta. Puedo señalaros a tres de ellos: Fernando Velasco, de Coche, ya difunto, Esteban Nevares, de Santa Marta, y Felipe Almagro, de Río de la Hacha, fallecido también de viejo. Tengo para mí que hay algunos más, pero desconozco sus nombres.

No daba crédito a lo que contaba aquel truhán. Melchor de Osuna, actuando al menudeo para diferenciarse de sus encumbrados primos, era un estafador sin entrañas, ladrón y fementido, que merecía acabar colgado en la plaza Mayor de Cartagena. Mi señor padre había sido objeto no sólo de un engaño que le había obligado a proceder contra su conciencia convirtiéndose en contrabandista sino también víctima honesta de una poderosa familia de rufianes, tramposos y embusteros. Y había más desdichados como él en Tierra Firme, dos o tres mercaderes de trato, a lo menos, a los que el de Osuna sangraba y sangraría hasta el día de su muerte, que esperaba muy próxima e igualmente rentable. Sentí levantarse en mi pecho una cólera enfurecida y tuve ganas de gritar, de atravesar con mi espada al de Osuna, de correr hacia los alguaciles y entregarles a aquel bellaco de Hilario Díaz para que oyeran su historia como la habíamos oído nosotros y que el de Osuna, los Curvo y todos los que eran como ellos acabaran en los calabozos, ante la justicia, en el cadalso y en el infierno. Pero, como era notorio, con el único testimonio de aquel capataz borracho ningún juez procedería contra un familiar de los Curvo, en caso de que el tunante llegara vivo al juicio, cosa bastante improbable. Si el de Osuna, en verdad, había matado a dos hombres a sangre fría, ¿qué se le daba de matar a uno más y, por ende, sirviente suyo y cuarterón?

Toda esta rabia, tengo para mí que por ser mujer, se me disolvió al punto en lágrimas, lágrimas que, por fortuna, las tinieblas ocultaron y que ni Rodrigo ni el mentecato del capataz pudieron advertir y, tengo también para mí que, en aquel preciso momento, fue cuando empecé a forjar, muy fríamente, la idea de una debida, justa y entera venganza.

—¿Qué hacemos con éste? —me preguntó mi compadre.

—Dejémosle ir.

—¡Gracias, gracias, señor!

—¿Así, sin más? Mañana mismo mandará aviso a su amo.

—¡No diré nada! ¿Qué voy a decir, señores, que no me inculpe también a mí?

—No hablará, hermano —repuse, muy serena, limpiándome las lágrimas como si me secara el sudor—. Le va la vida en ello.

—¡Me morderé tres veces la lengua antes que decir una palabra! ¡Lo juro, señores!

—Quedaremos a merced de este borracho, hermano. Piénsalo.

—Ni siquiera ha oído nuestros nombres —le recordé, y era cosa muy cierta, pues no los habíamos mentado ni una sola vez delante de él. El problema sería que recordara haber jugado a los naipes con Rodrigo—. ¿Qué has hecho esta noche, antes de estar aquí con nosotros? —le pregunté.

—Pues... no sé —dudó, de suerte que parecía sincero—. Cené en casa, eso se me alcanza, y estuve en la taberna antes de ir al tablaje, pues con esa intención salí por haber cobrado ayer mi soldada, mas no sé si fui. Tendré que contar los maravedíes de mi faltriquera.

No nos guardaba en la memoria. Mejor para él.

—Hermano —le dije a Rodrigo—, dale tantos palos, golpes, patadas, azotes y mojicones como te venga en gana, hasta dejarlo por muerto, de cuenta que no olvide nunca esta noche ni esta conversación. Y que sepa así, por tus manos y tu fuerza, que si habla, si dice alguna vez algo de lo acaecido, vendremos a buscarle, nosotros o nuestros compadres, y que, aunque se esconda más que una lagartija, le hallaremos y le cerraremos la boca para siempre.

—¡No voy a decir nada! —sollozó el cobarde—. ¿Qué ganaría yo sino pérdidas y perjuicios? ¡Mi amo me desollaría vivo si supiera que sé las cosas que os he contado! Él está cierto de que soy necio y sandio. ¡Dejadme marchar!

Rodrigo me miraba un tanto sorprendido, no sé si porque le había dado una orden de tal guisa o porque dudaba de que fuera valedera, pero mi resoluto silencio le convenció. Con gesto cansado, se levantó y, sacudiéndose la arena de las hábiles manos, le dio tan atroz vapulamiento que, al terminar, el otro, de cierto, parecía muerto y él tenía las ropas bañadas en sudor y en sangre que no era suya.

—¿Es suficiente? —me preguntó, chupándose las heridas de los nudillos.

—¿Está vivo?

—Tengo para mí que sí, aunque poco le falta para llamar a las puertas de san Pedro.

—Pues déjale ahí, que ya vendrán a rescatarle mañana.

—¿Y si nos lo cruzamos por las calles un día de éstos y nos reconoce?

—Nos iremos de La Borburata antes de que pueda volver a caminar.

Era tanta mi frialdad que Rodrigo me observaba preocupado. Y yo también. No sabía qué me estaba ocurriendo y dudaba de mi cordura mientras caminábamos hacia la taberna en la que habíamos quedado con mi señor padre y con los demás, que ya debían de estar preocupados por nuestra tardanza.

—¿Has pensado, Martín, que el de Osuna debe de obtener la información sobre las flotas de sus primos los Curvo? —murmuró Rodrigo, escondiendo sus magulladas manos en la espalda.

—Naturalmente —repuse, caminando más despacio. Teníamos la puerta de la taberna a menos de treinta pasos.

—¿Y cómo la obtendrán los Curvo? —caviló—. ¿Lo has pensado también?

—No se me ocurre otra cosa que sospechar del tercer hermano, el que está en Sevilla dirigiendo el negocio de la familia.

—¿Fernando?

—Ése —asentí—. Fernando Curvo debe de tener importantes contactos en la Casa de Contratación de Sevilla, que, según sé, es quien aprueba el número de barcos que componen las flotas, el tonelaje y las mercaderías que se pueden traer.

Rodrigo se detuvo en mitad de la calleja.

—Quien aprueba, tú lo has dicho. La Casa de Contratación aprueba, pero quien decide, en realidad, es el Consulado de Sevilla.

—¿Consulado?... ¿Qué consulado?

—El Consulado de Cargadores a Indias.[16] Todos los mercaderes de Sevilla que comercian con el Nuevo Mundo deben estar inscritos en la matrícula de cargadores. Así se impide que ningún extranjero pueda terciar en estos menesteres. Su poder ha crecido tanto en los últimos años que es él y no la Casa de Contratación quien organiza las flotas, tanto la de Nueva España que llega a Veracruz, como la de Los Galeones, que llega a Cartagena y a Portobelo y, desde que el rey empezó a poner en venta los cargos de los oficiales reales de la Casa de Con-

16. El Consulado o Universidad de Mercaderes de Sevilla se fundó en 1543. Era una institución privada que tenía por objeto proteger los intereses de los mercaderes y que, con el tiempo, terminó asumiendo el control absoluto del comercio con las Indias. Gozaba de potestad en los ámbitos jurídico, financiero y mercantil.

tratación, los mercaderes adinerados se han apoderado de todo.

—¿Y cómo es que el rey ha permitido que los mercaderes se adueñen de unos oficios tan importantes y tan relacionados con las flotas?

—¡Por mi vida, Martín! ¿Por qué va a ser? ¡Por caudales, como siempre! El Consulado de Sevilla hace importantes donativos al rey Felipe para ganarse su favor y obtener así el perdón para los delitos del comercio, sobre todo para los frecuentes fraudes en los registros, y le hace préstamos por sumas incalculables que Su Majestad nunca devuelve. Eso sin hablar de las numerosas ocasiones en que el rey se apodera de los dineros obtenidos por los mercaderes incautando las flotas a su regreso a Sevilla. Digamos, pues, que, a trueco de todo esto, el rey consiente en venderles por miles de ducados los cargos de la Casa de Contratación.

—¿Felipe el Segundo también hizo esto?

—Felipe el Segundo, su padre Carlos el Primero de España y el de ahora, Felipe el Tercero. ¡Todos los malditos Austrias! ¡Nunca tienen suficientes caudales para financiar sus guerras en territorios lejanos! España está endeudada, por culpa de ellos, con las principales familias de los negocios bancarios europeos: los Fugger, los Grimaldi, los Grillo...

—Muy bien —dije yo, retornando a nuestro asunto—, supongamos entonces que Fernando Curvo, en Sevilla, tiene acceso a las decisiones del Consulado respecto a las flotas.

—Sin suposiciones.

—Conforme. Fernando tiene la información —admití—. En los navíos de aviso que manda la Casa de

Contratación para los comerciantes de Tierra Firme y Nueva España, esos con los que tantas veces nos hemos cruzado mareando por estas aguas, el de Sevilla envía cartas a sus hermanos en Cartagena para que estén al tanto de las mercaderías que no van a venir. Los Curvo de aquí acumulan dichas mercaderías y las almacenan.

—Y no olvides que tienen sus propias naos mercantes —añadió Rodrigo.

—¿Qué quieres decir con eso?

—Pues que, si el engaño del que hablamos es grave, imagínate lo que sería descubrir que Fernando, que es quien apresta y despacha desde Sevilla naves de su propiedad cargadas con mercaderías, tuviera parte en las decisiones del Consulado acerca de lo que deben transportar las flotas.

Reflexioné unos instantes.

—¿Podemos conocer si ha comprado algún cargo en la Casa de Contratación o si lo tiene en el Consulado?

—¿Cómo lo vamos a conocer? —se extrañó Rodrigo—. Fernando Curvo está en Sevilla y nosotros en Tierra Firme. Él es un comerciante principal y nosotros, si no recuerdo mal, contrabandistas de poca monta.

—Alguien debe de saberlo en Cartagena —objeté.

—Naturalmente. Sus hermanos, Arias y Diego Curvo. ¿Vas a ir tú a preguntarles?

El rugido malhumorado de mi padre desde la puerta de la taberna nos sobresaltó. Se le veía enfadado y gesticulaba hoscamente, llamándonos. Con todo, Rodrigo seguía allí quieto, esperando mi respuesta con una mueca chusca.

—Quizá sí les pregunte a los Curvo, hermano, quizá

sí —repliqué—. Y, hazme la merced de no contar nada a mi señor padre de lo que hemos descubierto.

—¿Por qué? —se sorprendió—. ¡Es importante que lo sepa!

—Confía en mí, Rodrigo. Sé lo que hago.

—¡Esto es traición!

Mi padre seguía llamándonos a voces, sin dar crédito a nuestra inobediencia. Pronto, todos los vecinos de La Borburata saldrían a las calles con sus armas convencidos de estar siendo asaltados por piratas.

—No, Rodrigo. Sabes que mi padre nunca resolverá el problema con Melchor. Sabes que está resignado a pagarle el tercio hasta el último día de su vida. Y, por más, debes conocer que, tiempo ha, me pidió que me hiciera cargo de madre, de vosotros y de las mancebas cuando él muriese, pues nos quedaremos sin la casa, la tienda y la nao. —Rodrigo resopló y supe que se le empezaban a alcanzar mis intenciones—. Tú has estado a mi lado desde el día en que me leíste el recibo de Melchor, el que sacaste de la faltriquera de mi padre. No me abandones ahora. Permíteme, con tu silencio, reflexionar sobre todo lo que nos ha contado esta noche ese desgraciado de Hilario Díaz y buscar un camino para salir de este atolladero.

El antiguo garitero, amante de las flores villanas en el juego de los naipes, apuntó una sonrisa en su cara curtida.

—Sea —repuso—. Pero quiero estar contigo en esto. Debes contármelo todo.

—Por mi honor que lo haré —dije, echando a correr hacia mi señor padre.

Regresamos a Santa Marta tres meses después, con el ligero jabeque cargado de armas y pólvora hasta los penoles. Promediaba agosto y nos hallábamos en plena temporada de lluvias, con lo que tal suponía para la navegación por las terribles tormentas, tifones y huracanes que siempre hacían estragos en el Caribe. Mi padre no tenía prisa por entregar el cargamento al rey Benkos. Decía que estaba cansado y que necesitaba comer en su casa y dormir en su lecho. Pese a sus deseos, el plazo para pagar el segundo tercio del año se cumplía en breve. Antes del día treinta del mes debíamos personarnos en Cartagena para visitar a Melchor y entregarle los veinticinco doblones.

Madre parecía radiante cuando llegamos. Nos había preparado un recibimiento de reyes y la fiesta se prolongó dos días enteros. Tanta era su alegría que hasta a mi señor padre se le mejoró el ánimo y se le olvidó un tanto su fatiga. Los músicos de nuestra tripulación se sumaron a los de la mancebía y, al anochecer, tocaban sus instrumentos por las calles de Santa Marta, improvisando recitales ante los grupos de vecinos que charlaban en las puertas de las casas o paseaban por la playa o se dirigían al río Manzanares para darse un chapuzón. La chicha, el ron y el aguardiente calentaron los corazones y las mozas distraídas trabajaron sin descanso mientras los demás bailábamos, comíamos olla o dormíamos la siesta durante las horas en las que apretaba el sol. Una semana después de nuestra llegada, aún salían de la selva vecinos borrachos que ignoraban que la fiesta se había terminado.

A poco de acabar el jolgorio, cierto martes tengo para mí, madre me mandó llamar a su despacho una mañana. Cuando entré, mi padre conversaba con ella apaciblemente sobre las rentas y gastos de la mancebía. Para mis estudios de cálculo, madre había utilizado como cartillas de enseñar los libros de cuentas de los negocios y ambos conocían, tiempo ha, que yo estaba al tanto de todos los asuntos de la casa.

—Pasa, Martín —me rogó madre, que fumaba un grueso cigarro puro—. Toma asiento, hijo.

Arrastré una silla de brazos y me senté junto a mi padre.

—Ahora que os tengo aquí a los dos —empezó a decir ella echándonos una mirada satisfecha—, voy a daros una gran alegría y es que, en estos últimos años de mercadear contrabando, hemos reunido los caudales necesarios para rescatar nuestras propiedades de las manos de Melchor de Osuna.

Mi padre bajó la cabeza, apesadumbrado. Desde que yo había sido prohijada (o, por mejor decir, prohijado), madre me trataba con un afecto y una consideración parecidos a los de una madre verdadera. Con todo, siempre quedaba entre ambas una muralla que ninguna estaba interesada en derribar.

—¿Por qué sigues con este empeño, María? —le preguntó mi padre conteniendo su enfado—. Sabes que es imposible rescatar nuestras propiedades.

—Imposible no hay nada, Estebanico.

—¡Imposible hasta que yo muera, mujer, a ver si te lo metes de una vez en la cabeza! —gritó él—. Cuando eso ocurra, el de Osuna lo venderá todo. Guarda los dineros, María. Déjalos a buen recaudo hasta entonces y, el día de mi muerte, dáselos a Martín. Él sabrá lo que debe poner en ejecución.

—¡Que me maten, Estebanico, si tienes cabal juicio! ¿Qué podemos perder por intentarlo? Tanto que hablas de tu muerte y no te detienes a pensar que quizá el de Osuna ya está aburrido de esperar a que faltes. ¿Qué dices tú, Martín? —me preguntó madre de improviso, esperando, por su cara, que diera una opinión en su favor.

Mi cabeza no había parado de dar vueltas desde la noche que conversamos con Hilario Díaz en la playa de La Borburata. Ni Rodrigo ni yo habíamos dicho nada a nadie, mas, de vez en cuando, nos encontrábamos secretamente en el compartimento de anclas y sogas donde, a la luz que entraba por los escobenes, nos torturábamos recordando las tropelías de los Curvo y de Melchor. Mil veces me había repetido el de Soria, en aquellas ocasiones, que el contrato de arriendo firmado por mi padre para utilizar la casa, la tienda y la nao hasta su muerte era cosa pasada en cosa juzgada o, lo que es lo mismo, imposible de anular salvo por voluntad del de Osuna, que debía de tener mucha mano entre los jueces y oficiales reales de Cartagena para que los escribanos públicos le admitieran aquellos contratos. Tal cosa nos llevó a pensar que, de seguro, los Curvo tenían comprados a algunos de ellos.

—Paréceme —balbucí— que mi señor padre tiene la razón, madre. Melchor de Osuna no va a permitir que compremos nuestros bienes porque perdería dineros.

—¿Qué dineros va a perder? —se indignó ella, echando una espesa fumarada blanca por la boca—. ¡Lo que queremos es que pida una cantidad o que nos deje hacer una oferta!

—¿Cuántos doblones hemos reunido? —quiso saber mi padre.

—Cuatrocientos. He podido guardar unos cien al año, más los setenta y cinco de la renta a Melchor.

Mi padre se entristeció.

—No va a querer saber nada por esa cantidad —advirtió.

Yo me espanté. Sabía que el de Osuna no vendería nada, mas ¿tampoco por cuatrocientos doblones? ¡Por mi vida! ¿Conocía mi padre de cuántos maravedíes estábamos hablando?

—Pedirá, a lo menos, el doble —continuó diciendo.

—¿Y qué más? —se burló madre—. ¿La Corona de las Españas? ¿El trono de los cielos?

—¡Te he dicho que no quiere vender! —bramó él, exasperado.

—¡Inténtalo! —gritó ella a su vez—. ¿Qué te cuesta preguntarle? ¡Hazlo por mí, Estebanico! ¡No quiero esperar a que mueras para recuperar mi casa! —se quedó en suspenso unos instantes y, luego, con devoción, se corrigió—. La casa de los dos, Esteban. ¿Acaso no recuerdas que aquí nació nuestro pequeño Alonso y que aquí pasó su corta vida, en estos aposentos?

Me quedé muda de asombro. Mi padre y María Chacón habían tenido un hijo, quién sabe cuándo, que murió sin salir de la infancia. Nunca había oído yo nada sobre tal niño ni nadie había pronunciado una sola palabra referente a él, como si su nombre y su existencia hubieran sido borrados por algún encantamiento. Pero mi buena memoria me hizo recordar un detalle muy pequeño del día que llegué por primera vez a aquella casa y entré en aquel despacho. Madre dijo entonces, tras conocer el ardid ingeniado para salvarme del matrimonio con el lamentable Domingo Rodríguez, que por mucho que me hiciera pasar por hijo de Esteban Nevares, yo nunca sería como... Y aquí se detuvo. Mi señor padre, entonces, se había levantado prestamente de la silla y se había hincado de hinojos ante ella, acariciándole el rostro. Sin duda, ambos tenían en mente el mismo pensamiento, pero nada dijeron entonces ni tampoco después. Ahora, sin embargo, la señora María hacía referencia a aquel doloroso recuerdo para conseguir que mi padre se aviniera a negociar con el ruin de Melchor de Osuna.

—¿Me has oído, Esteban? —insistió madre.

—Te he oído, mujer —respondió él con voz triste.

—¿Y qué piensas hacer?

Mi padre, que ahora parecía más viejo y cansado que nunca, la miró haciendo leves gestos de asentimiento con la cabeza.

—Lo intentaré —concedió al cabo de unos instantes—, pero el de Osuna no cederá.

Madre se angustió.

—¡Ofrécele los cuatrocientos doblones! Verás como no los desdeña. ¿Quién podría rechazar una fortuna así?

Él se encogió de hombros y, con esfuerzo, se puso despaciosamente en pie y se dirigió a la puerta.

—Vamos, Martín —me ordenó—. Tenemos que revisar la carga del jabeque. No quisiera que ocurriera una desgracia con tanta pólvora en las bodegas.

Madre, despertando de su vago ensueño, reaccionó al punto:

—¡Deberías entregarle las armas a Benkos y no tenerlas tantos días en el puerto de Santa Marta!

—¡Así lo haré! —repuso él desde el gran salón—. ¡Martín, te estoy esperando!

Hice el gesto de echar a correr pero me detuve en seco.

—Siento no haberos ayudado más, madre —musité.

—Vete, anda. Déjame sola.

—Hablaré con él —dije antes de salir de allí corriendo—. Si le doy mejores razones con palabras eficaces, estará más dispuesto a tratar con Melchor y a convencerle.

Ella me miró y quiso, sin éxito, ocultar su gratitud tras la densa nube de humo del cigarro puro.

—¿Sabes lo que cualquier hombre que no fuera Esteban le habría dicho a una mujer al principio de esta misma conversación? Que se haría su voluntad y su gusto y que es obligación natural de ella bajar la cabeza y obedecer sin discutir, ajustando sus deseos a los de él. No le des más razones a tu padre, Martín, pues el asunto le incomoda. Conoce bien cómo manejar al de Osuna. No en vano lleva diez años frecuentándole.

—Sí, madre.

—Andad con tiento en la nao —me pidió.

CAPÍTULO IV

Arrumbamos hacia Cartagena y, como venía siendo costumbre desde los últimos tiempos, cuando las faenas del barco lo permitían y había luz en el cielo, mi señor padre me hacía sentar en cubierta y, con todos mis compadres puestos a la redonda, me hacía leer en voz alta alguno de los libros a los que era más aficionado. De esta guisa había leído ya para ellos *Los cinco libros del esforzado e invencible caballero Tirante el Blanco, Los cuatro libros de Amadís de Gaula, Oliveros de Castilla,* la *Crónica del caballero Cifar* y la *Historia de la linda Melosina,* que todos escuchaban con mucho gusto pues no había libros más entretenidos que los que narraban aventuras caballerescas.

Desde que nos dedicábamos al contrabando, nuestras permanencias en Cartagena de Indias se habían hecho muy cortas. Primeramente, nos dirigíamos todos a tierra con el batel, salvo Guacoa y Nicolasito, que quedaban al cuidado de la nao. Al llegar a puerto, Juanillo, el grumete, se encaminaba hacia el taller de cierto carpintero que tenía entre sus esclavos a uno que era el que hacía llegar nuestros mensajes al rey Benkos. Este esclavo comunicaba el recado a otro, al que ya no conocíamos, y éste, a su vez, a otro más, y éste a otro más, de cuenta que, a través de muchos emisarios, buenos corredores todos y conocedores de las ciénagas y las montañas, el aviso llegaba hasta Benkos en poco más de un día y, así, en el tornaviaje, cuando pasábamos por la desembocadura del gran río Magdalena, los cimarrones nos estaban esperando para recoger sus mercaderías. Entretanto Juanillo realizaba dicho menester, los demás, tras alquilar en los muelles una recua de mulas, nos dirigíamos, con mi padre, hacia la casa de Melchor. Habíamos tomado por costumbre esperarle en la puerta hasta que terminaba pues nunca tardaba mucho y nos quedaban muy cerca las plantaciones con las que tratábamos. En cuanto salía, cargábamos las mulas con el tabaco y, una vez que mi padre había pagado a los capataces, retornábamos a Cartagena y al puerto, donde, con varios viajes del batel, llevábamos los fardos hasta el pañol de víveres, pues nuestras bodegas, a esas alturas, estaban siempre abarrotadas con las armas de Benkos. Cenábamos y hacíamos noche allí, mas el amanecer nos sobrevenía, sin falta, mareando lejos ya de Cartagena.

Aquel día, en cambio, hubo ciertas mudanzas. La primera, la demora de mi señor padre, que se entretuvo mucho en la hacienda de Melchor. Yo sabía que negociaba el rescate de sus bienes y por eso no me inquieté. Sin embargo, cuando abandonó la casa y le vimos caminar hacia nosotros con torpeza, como si hubiera bebido, el ánima se me fue del cuerpo y quedé sin sangre y sin aliento. Me adelanté presurosa para atenderle, mas las palabras no me salían de la boca.

—Padre —balbucí.

Al levantar los ojos, su mirada parecía perdida.

—¡Martín! —exclamó, sorprendido—. ¿Qué estás haciendo aquí?

—¿Se encuentra bien, padre?

Él se tanteó el jubón, como buscando algo.

—No —murmuró—. Lo cierto es que no. Llévame a beber algo.

—Pero... ¡Tenemos que recoger el tabaco en las plantaciones!

—¡He dicho que me lleves a beber algo! —tronó, furioso.

Hice un gesto a mis compadres y éstos se acercaron, preocupados.

—Dele vuestra merced los caudales a Lucas para pagar el tabaco —le dije—, que yo le llevaré a beber a la taberna.

Mi padre, sin discutir, se desanudó la bolsa de los dineros y se la entregó a mi antiguo maestro de primeras letras.

—Id con las mulas a las plantaciones. Recoged y pagad el tabaco y, luego, regresad al puerto —les ordené. En realidad, como estábamos a finales de agosto, se trataba de tabaco jamiche que, luego, vendíamos a Moucheron con el tabaco bueno.

Lucas, tras vacilar unos instantes y mirar repetidamente la bolsa, dio media vuelta y se marchó en silencio con Rodrigo, Negro Tomé, Mateo y Jayuheibo. Quedamos solos mi padre y yo. La conversación con Melchor de Osuna le había alterado grandemente el seso y andaba tan perdido como un recién nacido.

—¿Qué ha pasado en la hacienda de Melchor? —quise saber caminando despacio, con el secreto temor de que ni siquiera lo recordara.

—¡Melchor de Osuna! —gritó al punto, desaforadamente. Por fortuna nos hallábamos entre solitarios cañaverales—. ¡Ah, ladrón, bellaco, hideputa! ¿Sabes lo que me ha dicho, Martín?

—No, padre. ¿Qué le ha dicho?

—Pues me ha dicho que reza todos los días por mi muerte, que se le está haciendo muy larga la espera y que, cuando me ofreció el contrato de arriendo, no contaba con que yo fuera a vivir tanto.

Si las palabras de Melchor fueron como puñales en mis entrañas, cuánto más para mi padre, que las hubo de escuchar de boca de aquel malnacido que las dijo sólo para ofender, pues bien que ganaba sus muchos dineros con esa espera que decía se le hacía tan larga. Me juré que el de Osuna pagaría cara su injuria y que, por mucho tiempo que pasara, yo no había de descansar hasta ver cumplida mi venganza.

—No quiere devolverme mis antiguas pertenencias —continuó explicando, mas la indignación y la furia le dominaban hasta el punto de hacerle tartamudear—. Dice que no desea los cuatrocientos doblones, que él gana más que un gobernador y que ni por un millón de maravedíes se desprendería de los títulos de propiedad de la *Chacona,* la tienda y la casa de Santa Marta. Dice que los bienes muebles o en raíces le interesan más que los caudales en metálico, pues de éstos ya tiene bastantes, y que las casas, los barcos y los negocios son riquezas para el futuro que siempre aumentan de valor.

—Tranquilícese vuestra merced —le rogué, animándolo a caminar pues se detenía de continuo—, y no se preocupe por Melchor de Osuna ni por nadie. Seguiremos como hasta ahora. Le pagaremos el tercio cada cuatro meses y ya se verá en qué acaba la historia.

—Pero, Martín, ¿es que no lo ves, hijo? Moriré sin recuperar la propiedad de mi casa ni la de mi barco. ¿Qué dirá María?

El nombre de madre pareció devolverle la cordura. Se llevó la mano a la frente como si sufriera un váguido de cabeza y, luego, tras bajarla, su rostro y su ánimo se sosegaron. Observó repetidamente los cañaverales a un lado y otro del camino y, de súbito, se volvió hacia mí.

—¿Y los hombres? ¿Y el tabaco?

—¿No lo recuerda, padre? —La pena me encogía el corazón—. Vuestra merced dijo que deseaba ir a la taberna para beber algo y yo mandé a...

—¿A beber a estas horas? —se extrañó—. ¡Pero si debemos recoger el tabaco!

—Le dio vuestra merced los dineros al compadre Lucas para que lo hiciera en su nombre.

—¡Por mis barbas! ¿Que yo le entregué los dineros a Lucas?

—Sí, padre. Y ya que no desea beber, le voy a acompañar hasta el puerto, le alquilaré un batel para que le lleve a la nao y me ha de prometer que se acostará a descansar hasta la hora de la comida. Yo buscaré a los hombres y regresaremos con el tabaco.

—Me preocupa lo que puedan pensar... —se lamentó, mas no rechazó la propuesta de tumbarse a descansar en su cámara, que era lo que yo temía.

—Los compadres no van a pensar nada —repliqué—. Ya saben que vuestra merced no es un mozuelo.

Hice tal cual le había dicho: le conduje afectuosamente hasta el puerto, le alquilé un batel, pagué al barquero y esperé hasta que le vi desaparecer tras los numerosos navíos fondeados en la ensenada. Después de eso, eché a correr por las calles, bajo un sol de justicia, y torné a salir de la ciudad en busca de mis compadres. Les hallé en la última de las plantaciones, con las mulas casi cargadas. Todos querían saber cómo estaba el maestre. Los expliqué que había recuperado el juicio y que, aunque se había retirado al barco para descansar, ya estaba casi repuesto.

—Hermano Rodrigo, he menester tu ayuda —le dije a mi compadre en voz baja—. ¿Puedes acompañarme a saludar a unas personas en Cartagena?

—Naturalmente, hermano.

Con breves palabras le relaté lo acaecido en casa de Melchor y le expuse lo que deseaba. Se mostró muy conforme y dispuesto.

En cuanto llegamos con las mulas al puerto, Rodrigo y yo dejamos a los demás y nos dirigimos al mercado, donde aún se atareaban algunos viejos amigos de mi señor padre, como el mercader Juan de Cuba o el tendero Cristóbal Aguilera. Hablamos mucho con unos y con otros, acudimos a dos o tres tabernas y a un par de casas de tablaje y, antes del crepúsculo, ya conocíamos que los hermanos Curvo realizaban similares negocios a los de Melchor: según contaban las lenguas maldicientes, cuando la flota atracaba en el puerto de Cartagena, los esclavos de los Curvo descargaban sus barcos a toda prisa, de cuenta que los oficiales reales, con las muchas obligaciones que tenían en esos días, no podían comprobar los registros ni hacer bien el avalúo para cobrar los almojarifazgos y las alcábalas. Como, por real cédula, los mercaderes no estaban obligados a mostrar el contenido de los fardos, cajas, arcones, odres y toneles declarados en Sevilla antes de zarpar, nadie sabía lo que desembarcaban realmente los Curvo, sólo que sus esclavos se daban extremada prisa en transportarlo todo hasta los muchos y grandes establecimientos que tenían en las afueras de Cartagena. Contaban asimismo, con gran escándalo —mas con la boca pequeña y la voz queda—, que aunque el hermano de Sevilla, Fernando, declaraba allí mercaderías de poco valor como pábilos para velas, cañamazo o alforjas, en verdad aquellos embalajes contenían terciopelos, sedas y rasos de Damasco. De común parecer, aseguraban también que los Curvo disponían siempre de toda clase de géneros y que el año que faltaba la flota de Los Galeones o cuando, aun viniendo, no traía lo necesario, ellos, contrariamente al resto de los grandes comerciantes, procuraban de lo que no había a quien pudiera pagar sus fuertes precios, generalmente mercaderes del Pirú que, por disponer de la plata del Cerro Rico del Potosí, eran los únicos con bastantes caudales para satisfacer sus exigencias.

Nada de todo aquello se podía demostrar valederamente, pero a Rodrigo y a mí nos bastó para conocer que Melchor de Osuna imitaba a sus poderosos, trapacistas y fulleros primos, que no eran, a lo que se veía, un ejemplo de honestidad comercial. Tenía que liberar a mi padre de aquella gente. En los cuatro años que llevaba a su lado había sido testigo de cómo su desgracia le consumía. Era un anciano, sin duda, mas un anciano que sólo por los Curvo y el de Osuna se estaba volviendo viejo. Su recto y firme juicio se había tornado frágil y quebradizo y no podía consentir que sus últimos días fueran de pena y fracaso.

—Tengo que discurrir algo, Rodrigo —le dije a mi compadre mientras regresábamos al puerto dando un paseo—, y tengo que ponerlo en ejecución pronto o mi padre no verá el año venidero.

—¡Cuidado, Martín! ¿Qué es lo que cavilas?

—Tú, que tanto sabes de flores villanas del naipe, podrías aconsejarme.

—¡Ojalá pudiera! Pero, sin duda, es más fácil desvalijar a un tahúr que jugársela a los Curvo. Son gentes peligrosas.

—Peligrosas o no, tendrán que vérselas conmigo.

Rodrigo resopló.

—¡No sabes lo que dices! No sólo a tu padre se le ha nublado el entendimiento.

Quizá fuera así mas, al punto, me vino a la memoria el truco del espejuelo. No debía de tener el seso tan cerrado como decía mi compadre.

—¡Al puerto corriendo! —exclamé—. He menester de Juanillo.

—¿De Juanillo?

No le respondí. Corría calle abajo, hacia el mar, como si tuviera fuego en las botas.

El joven grumete, cuya edad frisaba ya los doce años y se estaba convirtiendo en un mocetón fuerte y agraciado, esperaba pacientemente el regreso del batel sentado sobre los últimos fardos de tabaco jamiche que quedaban por llevar a la nao. Cuando nos vio venir a Rodrigo y a mí a la carrera, se puso en pie de un salto y echó la mano al puñal.

—Tranquilo, Juanillo, que nada sucede —le dije para sosegarle.

—¿Y por qué corríais?

—Tienes que hacerme un favor.

—Sea —repuso con firmeza—. Dime lo que quieres.

—No debes contarle a nadie lo que te voy a pedir.

—Tienes mi palabra.

—Si hablas, grumete —añadió Rodrigo, doblándose por las ijadas para recuperar el resuello—, te despellejo.

Juanillo y Nicolasito respetaban mucho a Rodrigo, supongo que por su rudeza de trato, ya que siempre andaba reprendiéndoles.

—No diré nada —afirmó el muchacho, temeroso.

—Quiero que vuelvas al taller del carpintero y le digas a nuestro emisario que le mande un mensaje mío al rey Benkos —le ordené—. El mensaje es éste: el maestre se halla en un mal trance y, por su bien, le pido que me auxilie permitiendo que los oídos de sus confidentes en Cartagena escuchen para mí. ¿Lo has entendido?

—Sí, pero ¿qué le digo que averigüe?

—Los Curvo, Juanillo. Preciso conocerlo todo sobre los Curvo, y aún más lo que ocultan: sus entresijos, sus vicios, sus ambiciones, sus negocios ilícitos. Deseo saber algo que ellos no quisieran por nada del mundo que se supiera.

—Sea. Vuelvo al taller.

—¡Espera! Falta una cosa. El rey Benkos debe guardarme el secreto. Sólo yo puedo conocer la información. Nadie más, ¿lo entiendes?, ni el maestre ni madre. Y, ahora, parte. Ve presto al taller y regresa cuanto antes.

El grumete echó a correr y Rodrigo, más repuesto, me lanzó una mirada dura.

—Lo que haces —gruñó— va tan descaminado y tan fuera de todo lo razonable que paréceme que te has vuelto loco. Es un juego peligroso, Martín, y, por más, vas a quedar en deuda con Benkos Biohó, el rey de los cimarrones.

—¿Por ventura necesita de consejo una decisión firme? —repuse con aspereza. Mas, en el fondo, sabía que él tenía razón y yo ya me había dado esas mismas razones. Con todo, debía afrontar el riesgo y, en cuanto a la deuda con el rey, era un pequeño precio por el favor tan grande que él iba a hacerme, en caso de que accediera a mi ruego. No me bastaba con los rumores del mercado para lo que pretendía poner en ejecución.

Nuestro regreso a Santa Marta fue triste. Madre se desanimó mucho al conocer las nuevas sobre las propiedades. Durante los días siguientes, dio en pensar en comprar una casa tan buena como la nuestra en alguna otra localidad del Caribe para trasladar allí la mancebía y la tienda. Estaba cansada de luchar contra Melchor, decía, y rezongaba por lo bajo que mejor sería dejar de pagarle el tercio y que el bellaco mandara a los alguaciles a requisar los bienes. Tengo para mí que, si aquello no hubiera supuesto pena de galeras para su querido Esteban, lo habría hecho sin dudar. Mas, pese a estos tristes ánimos que rondaban la casa, mi señor padre se recobró bien del disgusto y de la pérdida de juicio. Decía no recordar cómo había salido ni de la casa ni de la hacienda de Melchor, sólo que tornó en sí estando a mi lado, en el camino entre cañaverales. Como si se hubiera quedado dormido, le explicaba a madre, que no abría la boca pero dejaba ver en el rostro la angustia que sentía. Menos mal que hasta mediados de septiembre no debíamos salir con el barco para empezar a comprar el tabaco de la segunda cosecha del año. Esas dos semanas le iban a venir muy bien a mi padre para descansar.

Algunos días después de regresar de Cartagena, cierta noche, unos aldabonazos en la puerta principal me hicieron salir de mi cuarto y allegarme hasta el zaguán para ver quién era y qué quería a esas horas tan tardías. Seguramente, pensé, se trataba de algún marinero perdido que buscaba la mancebía.

Pero no era un marinero. Al entreabrir el portalón, ya con las palabras listas en la boca, me topé frente a frente con el negro desarrapado y de nariz rota que habitualmente traía los saludos del rey Benkos para el maestre. Eso sólo podía significar que Benkos se encontraba en el palenque de Santa Marta y, de seguro, aquel cimarrón que había entrado en el pueblo aprovechando la oscuridad de la noche traía una invitación para mi señor padre. El emisario venía, como siempre, desarmado y con la cabeza descubierta, y se puso la mano en la frente de modo y manera que reconocí la seña secreta que le identificaba, aunque no era menester.

Le abrí por completo el portalón para animarle a entrar presto y, al pasar junto a mí, susurró:

—Id luego al pequeño río Manzanares por el camino de los huertos. Allí encontraréis cumplida cuenta a vuestro encargo.

Habló tan rápido y con una voz tan baja que no quedé cierta de haberlo escuchado, mas él ya caminaba hacia el gran salón con desenvoltura. Sorprendida, cerré el portalón y regresé dentro, donde le vi conversando con mi padre, que, con el bonetillo de dormir puesto en la cabeza, le estaba pidiendo que le disculpara ante el rey pues tenía la salud un poco quebrantada y no podría visitarle en el palenque. Empecé a devanarme los sesos intentando adivinar cómo saldría de la casa sin ser descubierta.

Cuando el cimarrón se marchó, amparado nuevamente por la noche, mi señor padre se retiró a su aposento y madre se dirigió a la mancebía para pasar un rato con las mozas y los clientes. Yo no sabía qué hacer. Dudaba si escaparme por las buenas o si darle antes a madre alguna excusa pero, como necesitaba a *Alfana* para adentrarme en la selva y llegar hasta el río, no tuve más remedio que hablar con ella, así que me dirigí a la mancebía y, tras saludar a los músicos, hablé con madre para pedirle licencia. Sólo quería cabalgar un poco por los alrededores del pueblo, le dije, intentando esquivar su mirada de halcón. Mucho le extrañó mi pretensión mas, aunque tengo para mí que no me creyó, no puso otro obstáculo que obligarme a llevar las armas y a los dos jóvenes perros, *Fulano* y *Mirón,* que junto con el corcel, la mula, el mono y los dos loros de la mancebía formaban parte de la cada vez más numerosa familia de bestias de la casa.

Así pues, *Fulano, Mirón, Alfana* y yo salimos a la calle y nos dirigimos hacia el Manzanares, tomando para ello el camino de los huertos. Por fortuna, a última hora pensé que habría menester de una buena antorcha y tomé una de la tienda, que me iluminó debidamente el oscuro sendero, cubierto por una espesa bóveda de trenzadas ramas que no dejaban pasar la luz de la luna ni ver las estrellas. Ya oía el cercano rumor del agua cuando, al punto, unas figuras salieron de la nada y se interpusieron en mi camino.

—¡Martín!

Era la voz de Sando, el hijo menor de Benkos, al que conocía desde que subió como rehén a nuestra nao la primera noche que tuvimos contacto con los cimarrones en Taganga.

—No puedo verte —dije.

Él se rió.

—Baja del caballo, amigo, y acércate. Nosotros te vemos bien con esa buena antorcha que traes.

Desmonté y até a *Alfana* a un árbol. Sando estaba acompañado por un joven negro asustadizo que miraba en derredor con gran temor y espanto. Parecía muy bien educado y era gallardo de porte y maneras. Sus ropas eran de finas telas, si bien estaban muy sucias y rotas por el boscaje, y, para su desgracia, sus antiguos amos habían elegido marcarle con el hierro en la mejilla izquierda, deformándole grandemente el agraciado rostro.

—Mira, Martín, éste es Francisco, mozo de cámara de Arias Curvo hasta hace una semana. Debes saber que ha muchos meses que Francisco nos pidió que le liberásemos, mas fue tu ruego de socorro el que nos determinó a sacarlo ahora de Cartagena. Aún se halla muy asustado, pues no ha parado de correr desde que abandonó a su amo y nunca había estado antes ni en las ciénagas ni en las montañas. Él puede informarte de lo que deseas. Nació en casa de Arias y en ella ha estado a su servicio en muy buenos puestos y de mucha confianza.

A Francisco parecía no llegarle la rota camisa al cuerpo. La oscuridad de la selva y sus sonidos nocturnos le amedrentaban. Daba botes y hacía grandes aspavientos cuando rumoreaban las hojas o chillaba algún mono sin sueño. Era como un elegante caballero arrancado de sus salones de baile.

—¿Conoces lo que quiero, Francisco? —le pregunté para atraer su desordenada atención.

—Así es, señor —murmuró, tranquilizándose un tanto—, y puedo ayudaros en vuestras pretensiones pues nadie conoce mejor que yo a los hermanos Curvo.

Era una lástima que le hubieran deformado el rostro con la carimba. Tenía la nariz fina, como de indio, y los labios delgados y pequeños. Quizá se tratara de un zambo[1] de piel oscura. De no tener la marca, hubiera resultado un joven muy bien parecido.

—Háblame de ellos, Francisco. Cuéntame sus secretos, aquellos por los que matarían.

—¡Son tantos, señor! —suspiró—. Me ayudaría mucho saber para qué precisáis la información, pues podría brindaros el más adecuado.

—Dámelos todos —le urgí.

Él volvió a suspirar.

—No saldríamos de este camino ni en tres días, señor, pero puedo ofreceros uno que, a no dudar, os servirá. Es la más reciente fechoría de mi amo y, si se conociera, le trastocaría un gran negocio y le mancharía el nombre donde más le interesa mantenerlo limpio.

—¡Ése es el que quiero! —exclamé.

—Pues escuchad con atención, señor —principió—. Los Curvo son, en realidad, cinco hermanos, aunque esto casi nadie lo conoce. Tres varones y dos hembras. Pertenecen a una familia sevillana de buena posición. Fernando, el mayor de los cinco, está inscrito en la matrícula de cargadores a Indias y tiene casa de comercio en Sevilla. Arias y Diego, los otros dos varones, actúan

1. Hijo de negro e india, o viceversa.

como factores o apoderados de los intereses de dicha casa en Tierra Firme. Fernando casó ha muchos años con Belisa de Cabra. ¿Sabéis de quién os hablo?... ¿Os dice algo el apellido?

—Ni por asomo —respondí.

—Belisa de Cabra es la única hija de Baltasar de Cabra, que fue boticario en Sevilla hasta que, gracias al comercio con las Indias, terminó convertido en el más rico y poderoso banquero de la ciudad. Baltasar de Cabra, usando sus ahorros, empezó a fiar caudales con un interés del diez por ciento a los maestres que necesitaban dineros para aprestar sus naos y a los mercaderes que carecían de ellos para comprar y cargar mercaderías. Estas actividades usurarias le enriquecieron tanto que cerró la botica y se convirtió en cambista, con objeto de seguir haciendo lo mismo aunque de forma legal. Hoy en día posee el negocio más importante de Sevilla, de suerte que muchas de las flotas se dotan a crédito con sus solos caudales, caudales que luego, cuando los barcos regresan, recupera con grandes beneficios, naturalmente.

Sando y yo no pudimos evitar soltar una exclamación de asombro. Aquéllas eran palabras mayores.

—Veo que os impresiona —sonrió Francisco, muy ufano—, mas deberíamos tomar asiento pues la historia es larga.

Obedecimos su consejo y, plantando la antorcha en el centro del camino, los perros y nosotros tres nos acomodamos a su alrededor. Los animales estaban tranquilos. Si alguien se acercaba, ladrarían.

—La familia Curvo —siguió contando Francisco, ajeno ya a la tenebrosa selva que le rodeaba— ha consumado una buena política de matrimonios. Si Fernando, el mayor, casó con Belisa de Cabra, la segunda hermana de los cinco, Juana, es la esposa de Luján de Coa, al que tampoco conoceréis, ¿verdad?

Negamos con la cabeza.

—Luján de Coa es el prior del Consulado de Sevilla.[2] ¿Habéis oído hablar del Consulado de Sevilla?

Yo asentí, mas Sando quedó en suspenso.

—Entonces, señor, si conocéis el Consulado no os costará trabajo atar algunos cabos con los negocios de los hermanos Curvo aquí, en Tierra Firme.

¡Naturalmente que no me costaba! Juana Curvo era la fuente de su privilegiada información, de su conocimiento acerca de las flotas y las mercaderías, y de su gobierno del siempre mal abastecido mercado de Tierra Firme. ¿Qué no podría conseguir la esposa del prior del Consulado? Tal y como habíamos supuesto Rodrigo y yo en La Borburata tras conversar con Hilario Díaz, Fernando Curvo conocía toda la información sobre las flotas, sólo que no podíamos figurarnos que este conocimiento se producía a través de una hermana casada con el propio prior del Consulado.

Aún no había terminado de digerir aquello cuando Francisco empezó a hablar del tercero de los hermanos Curvo:

—Después de Fernando y Juana viene Arias, mi amo... mi antiguo amo. Arias llegó al Nuevo Mundo hace veinte años. Era sólo un mozo cuando abandonó Sevilla para

2. El Consulado estaba dirigido por un prior y dos cónsules que disfrutaban de amplios poderes sobre el comercio con las Indias.

trabajar como encomendero de cierto importante mercader de México, en la Nueva España, primo lejano de su madre, que le favoreció para que aprendiera los secretos de la carrera comercial. Realizó de este modo, en nombre de su protector, tres o cuatro viajes entre Sevilla y Nueva España, cultivando amistades y estableciendo relaciones personales con los cargadores que compraban y vendían por grueso, no por menudeo. Se creó una buena reputación y conoció a fondo los entresijos del negocio y todos los mercados del Nuevo Mundo. Ayudado por el primo de su madre, se prometió y más tarde casó con Marcela López de Pinedo, hija de una acaudalada familia de comerciantes de Nueva España que aportó una gran dote al matrimonio. Con esta dote, se mudó a Cartagena y se estableció por su cuenta, convirtiéndose en el factor de su hermano Fernando.

—¡Qué buenas bodas las de todos los Curvo! —exclamé.

—No lo sabéis bien, señor —admitió Francisco, asintiendo con la cabeza—. Pero aún mejor fue la cuarta, la de Isabel, que casó con Jerónimo de Moncada, juez oficial y contador mayor de la Casa de Contratación de Sevilla, al frente del Tribunal de la Contaduría de la Avería... ¿Sabéis lo que es la avería? —preguntó al ver nuestras caras de desconcierto—, ¿no?, pues el impuesto que pagan los cargadores para costear entre todos ellos los gastos de los galeones que protegen las flotas y de las armadas que defienden la navegación a las Indias. Mas, volviendo a Jerónimo de Moncada —continuó—, puedo deciros que entregó poderes a sus cuñados para que éstos le representaran en todos los asuntos y negocios que tiene en el Nuevo Mundo, que son muchos. Como veréis, la trama de intereses y lazos familiares de los hermanos Curvo es demasiado grande para ser conocida en su totalidad. El oficio de Jerónimo de Moncada en la Casa de Contratación está estrechamente relacionado con el de Luján de Coa al frente del Consulado de Mercaderes y, sin duda, también con el de Baltasar de Cabra, el banquero que presta los caudales para las flotas. Entre los tres reúnen más poder efectivo que cualquier ministro del rey, mas son pocos, o ninguno, los que aquí conocen tal circunstancia.

—¡Que me maten! —proferí, abrumada. ¡Si Rodrigo supiera todo esto!, pensé.

Me imaginaba a Fernando y a Belisa reuniéndose en su casa de Sevilla con Luján y Juana y con Isabel y Jerónimo. Los seis comiendo o cenando en torno a una lujosa mesa y, entre trago de vino y trago de vino, tomando terribles decisiones que afectaban a todas las pobres gentes del Nuevo Mundo: qué y cuántas mercaderías se cargarían en las tantas naos que podrían salir en las próximas flotas y cuáles no serían cargadas para que, así, Arias y Diego, rápidamente informados mediante cartas enviadas en los veloces navíos de aviso de la propia Casa de Contratación, pudieran acumularlas en sus establecimientos para venderlas a fuertes precios cuando faltaran.

—Pues bien —siguió diciendo Francisco, ajeno a mis reflexiones—, queda por casar el hermano pequeño, Diego Curvo, también factor en Cartagena de la casa de comercio de Fernando. Siendo yo mozo de cámara de Arias y conociendo, por tanto, su más íntima vida familiar, tiempo ha supe que se estaban fraguando ambiciosos planes de boda para Diego, una boda que llevará a la familia Curvo a cimas aún más altas. Hay una hermosa joven de dieciséis años llamada Josefa, hija del difunto conde de Riaza, que es la prometida secreta de Diego. Secreta porque el compromiso y la boda dependen, por decisión de la madre de la joven, la condesa viuda Beatriz de Barbolla, de que Diego Curvo presente ante la Real Audiencia de Santa Fe del Nuevo Reino de Granada una Ejecutoria de Hidalguía y Limpieza de Sangre para que, una vez vistas y reconocidas ambas, la joven Josefa, al casarse, tenga opción al mayorazgo y al título, cuyos derechos perdería de no ejecutarse tal diligencia. Aquí el asunto está en que las de Riaza no tienen caudales, pues nada les dejó el señor conde al morir, mas permitir que una joven noble case con un simple mercader requiere, a lo menos, que éste sea cristiano viejo, sin mezcla de sangre mora, judía o negra, y que también, por linaje, sea hijodalgo.

—¿Y...? —le urgí. A Francisco le encantaban las historias que estaba contando y se recreaba en detalles que no me parecían importantes. Hablaba de los Curvo con el orgullo de un miembro de la familia y no con el odio natural de un esclavo. Tanto relumbre y oropel parecían engrandecerle a él también.

—Pues que los Curvo, señor, ni son hidalgos ni tampoco cristianos viejos pues, por lo que tengo oído en la casa, algunos de sus antepasados fueron judíos.

—¡Tramposos! —repuse riendo—. Ésta sí que es buena.

—Sí que lo es, señor, y debéis conocer que los Curvo, para resolver este problema que los aleja de la nobleza, su última y más grande ambición, han requerido los servicios de un tal Pedro de Salazar y Mendoza, célebre genealogista castellano acusado en varias ocasiones de linajudo, es decir, de falsificador de linajes y genealogías a trueco de buenas cantidades de dineros. A través de Fernando, el mayor, han requerido el auxilio del tal Pedro de Salazar para que aporte las pruebas y documentos falsos que precisan para convertir a Diego en hidalgo y demostrar su limpieza de sangre. Así, Diego, en cuanto reciba la Ejecutoria, podrá presentarla en la Real Audiencia de Santa Fe y acceder, por matrimonio, al mayorazgo y al título nobiliario de su esposa, encumbrando a la familia a una nueva posición social.

Me quedé pensativa. Los Curvo tenían mucho poder e incontables dineros mas no dejaban de ser unos simples plebeyos. Acceder a la nobleza a través del hermano pequeño era el último y definitivo salto para llevarlos hasta los círculos que hoy, por ser quienes eran, les estaban vedados. Para ellos debía de tratarse de una operación muy importante, un negocio en el que, de seguro, estaría involucrada toda la familia, con sus muchos recursos económicos, sus contactos y conocidos, y, cómo no, sus acostumbradas trapacerías y bribonadas.

—Ahí radica la debilidad de los Curvo —dije en voz alta—. Siendo tan evidente su pretensión por encumbrarse en la sociedad, cualquier escándalo que manchase su honor destruiría sus posibilidades de convertir a Diego en conde.

—Y la familia lo lamentaría mucho, señor —añadió Francisco—, pues con este matrimonio nobiliario se les abrirían nuevas puertas y ganarían importantes relaciones con gentes que ahora no se dignan ni a mirarlos. Sé que están concibiendo ambiciosos propósitos para el futuro, una vez que Diego haya matrimoniado con la joven Josefa, mas no sé cuáles. Sólo escuché decir a mi amo...

a mi antiguo amo, en cierta ocasión, que esta boda era como uno de esos cañones que los piratas esconden en las islas desiertas.

—¿Los piratas esconden cañones en las islas desiertas? —se sorprendió Sando. Mi boca estaba sellada por el asombro. Como mi amigo, no sabía de qué hablaba Francisco, mas recordaba perfectamente el día en que, estando en la gruta de los murciélagos, en la cumbre del monte de mi isla, me lastimé al caer sobre cuatro viejos falcones de bronce—. ¿Con qué pretensión?

—¿No han oído nunca vuestras mercedes el dicho «Todo lo que tengo lo doy por un cañón pirata»?

Sando y yo sacudimos la cabeza para decir que no. Francisco nos miró con lástima y tengo para mí que empezó a sospechar que la libertad junto a gentes tan ignorantes y zafias no era lo que él, mozo de cámara de una casa principal, se había figurado cuando soñaba con escapar.

—Pues verán, señores, es de común conocimiento que los piratas utilizan sus cañones viejos e inservibles como cajas de caudales para esconder sus botines en las numerosas islas desiertas que tenemos por estos pagos. Un mercader de trato de Maracaibo encontró, años ha, unas viejas lombardas enterradas en la arena de una isla desierta en la que había fondeado para hacer aguada. Dentro había un tesoro inmenso en monedas de oro, plata y piedras preciosas. Se hizo tan rico que pudo comprarse dos naos más y volver a España como un hombre acomodado. El bronce de los cañones protege los tesoros mejor que cualquier arcón de madera, que acaba pudriéndose al cabo de pocos meses por la gran humedad y las lluvias de estas tierras.

¡Ahora entendía por qué aquellos falcones estaban tan extrañamente emplazados en la gruta de mi isla! Cuando los descubrí, como tenían los calibres llenos de guano, no se me ocurrió que pudieran contener nada. Por más, la presencia de proyectiles de piedra a su lado terminó de despistarme, llevándome a pensar que habían sido dispuestos allí, a tan gran altura, para disparar a los barcos que se acercaban a la costa, aunque resultaba evidente que ninguna nave se atrevería a acercarse por aquel lado, pues el monte caía en picado hasta el mar, formando peligrosos remolinos y rompientes.

Había tenido a mis pies un fabuloso tesoro pirata que hubiera salvado a mi padre de caer en el contrabando y lo había dejado escapar sin darme cuenta. ¡Idiota, idiota, idiota!, me repetí una y mil veces sin permitir que ninguno de estos pensamientos se trasluciera en mi cara. Lo último que quería era que alguien se apercibiera de mi sorpresa y desconcierto.

—¿Entienden ya vuestras mercedes —dijo Francisco, sobresaltándome— por qué mi antiguo amo decía que la boda de Diego con Josefa de Riaza era como un cañón pirata? Se refería a que esa boda aportaría una inmensa riqueza y fortuna a la familia.

—Tengo para mí que es hora de marcharnos, Francisco —anunció Sando en ese momento—. ¿Necesitas saber algo más, Martín?

—Gracias, Sando, tengo suficiente —me costaba sacar la voz del cuerpo.

—Si necesitas cualquier otra cosa de Francisco, debes saber que va a quedarse en mi palenque. Mi padre ha dicho que debe permanecer lo más lejos posible de Cartagena. Era un esclavo muy apreciado, una pieza de Indias de mucho valor, y Arias Curvo enviará, de seguro, un buen puñado de soldados en su busca.

Sando se incorporó con pereza y se ajustó los raídos calzones mientras también yo me ponía en pie y me sacudía el barro de las ropas. Francisco, por su parte, se levantó con muy finos y elegantes modales. Sentí lástima al ver que volvía a tener la afligida expresión de temor que lucía cuando llegó.

—¿Te arrepientes de haber escapado, Francisco? —le pregunté.

—No, señor —murmuró—. Quizá la libertad no sea tan cómoda como la vida que he llevado hasta ahora, pero nadie me pegará con el látigo ni me insultará ni me echará encima los orines de su bacín porque se haya despertado con mal humor.

—¿Y sabes lo mejor, Martín? —añadió Sando mientras yo desenganchaba las riendas de *Alfana*—, que Francisco es hijo natural de Arias.

Giré prestamente sobre mis talones y volví a escrutar la cara deforme del muchacho. Aquella nariz y aquellos finos labios que yo había tomado por rasgos de indio no eran sino de español.

—¿Arias Curvo es tu padre? —pregunté, incrédula.

—Así es, señor —reconoció el joven mozo de cámara—. Ya sabéis que es práctica habitual que los amos preñen a sus esclavas negras para que tengan muchos hijos, pues la esclavitud se transmite por línea materna.

—No lo sabía. —¿Cómo hubiera podido imaginar tal cosa?

—¡Ya aprenderás cómo funciona el Nuevo Mundo, Martín! —exclamó Sando antes de arrastrar al tímido Francisco al interior de la selva—. ¿No es mucho mejor, acaso, acostarte con tus negras que comprar esclavos en el mercado a trueco de maravedíes? Cuídate, hermano, y espero que puedas sacar a tu padre del mal trance en el que se halla, sea cual fuere.

—Gracias por todo, Sando —le dije, montando en *Alfana*, aunque ya no le veía, ni a él ni a Francisco. Desde la silla me incliné para recoger la antorcha clavada en el suelo. Los perros se habían portado bien y ahora correteaban contentos junto a las patas del corcel. El sueño no vendría aquella noche a mis ojos, me dije. Tenía mucho que meditar sobre todo lo que había escuchado de boca de aquel hijo bastardo y esclavo de Arias Curvo.

Entré en el zaguán, desmonté, até a *Alfana* a la argolla junto a la mula y dejé que los perros se tumbaran bajo la mesa del gran salón, el lugar fresco donde les gustaba dormir. En la mancebía aún se escuchaba algo de música mas ninguna voz, así que supuse que las mozas estaban acabando sus trabajos en los cuartos y que madre se habría ido a dormir. Me equivoqué. Como sólo podía acceder a mi cámara a través de su despacho, me sorprendí mucho cuando, al abrir la recia puerta, la luz del candil me dio en los ojos.

—¿Martín? —Era ella. ¿Le había pasado algo a mi padre? ¿Había sucedido alguna desgracia?

—Sí, madre —dije entrando. El pobre *Mico* dormía a sueño suelto sobre la mesa.

—¿Dónde has estado hasta ahora? —me preguntó a bocajarro, con ese ceño fruncido que asustaba incluso a los hombres más bragados.

Estaba demasiado cansada para ponerme a inventar pretextos. Hubiera podido hacerlo, sin duda, pero ¿para qué? Como decía siempre mi padre, madre era una mujer de muy largo entendimiento que sabía poner las cosas en su justo punto y parecía tener, por más, un olfato infalible para pillar las mentiras. Aun así, intenté evadirme.

—Mañana os lo contaré todo, madre. Si empiezo a hablar ahora, nos saldrá el sol.

—Pues que nos salga. Siéntate.

¡Por las barbas que nunca tendría! ¡Aquella mujer era invencible!

Hablé y hablé sin parar hasta que, en efecto, nos salió el sol. Al acabar, madre lo conocía todo, desde lo que nos había contado Hilario Díaz en La Borburata, hasta lo que me había explicado aquella noche el joven Francisco, pasando por lo que Rodrigo y yo habíamos averiguado en Cartagena. Por la calidad de sus preguntas, supe que madre le había sacado a todo filo y punta.

CAPÍTULO V

A mediados de septiembre zarpamos de Santa Marta para recoger el tabaco de la nueva cosecha. Lo cierto es que, a partir de nuestro primer destino, Cabo de la Vela, todo salió mal en aquel viaje. Enrumbamos, aún tranquilos, hacia el norte, hacia Santo Domingo, en La Española, y, al poco, tuvimos la mala estrella de cruzarnos con la flota de Los Galeones, al mando del general Juan Gutiérrez de Garibay, que se dirigía hacia Cartagena y que nos obligó a quedarnos al pairo durante un día completo para dejarle paso. Cuando, a la postre, arribamos a Santo Domingo, descubrimos que una plaga de gusano había terminado con la producción completa de tabaco de la isla. Mejor nos fue en Puerto Rico, pues el dichoso gusano no había tenido tiempo de comérselo todo, mas no pudimos comprar nuestra habitual cantidad de arrobas. Tras muchos días de viaje hacia el sur, llegamos, finalmente, a Margarita, sólo para encontrarnos con la terrible noticia de que el puerto había sido cerrado por otra plaga, ésta de viruelas, que estaba castigando a la población con una terrible mortandad. El gobernador había puesto bateles en la bocana para que ninguna nave pudiera acercarse al puerto.

Desde Margarita fuimos a Cumaná, mas con tan mala fortuna que, para cuando nosotros llegamos, otros compradores de tabaco se lo habían llevado todo, hasta nuestras arrobas, pues habían pagado cuatro veces su precio por hacerse con ellas. Casi no valía la pena acercarnos hasta Punta Araya para mercadear con Moucheron pero, aun así, mi padre, por cumplir con lo pactado, decidió hacerlo. Ciertamente, nos dio con la puerta en las narices y, por más, se quedó con el poco tabaco que habíamos adquirido en Cabo de la Vela y Puerto Rico; como regalo, dijo, por nuestra buena amistad y por el bien de nuestros futuros tratos. Moucheron era otro hideputa como Melchor y como los Curvo. Entretanto nos alejábamos, mi padre, con grande enojo, se daba a Satanás y juraba que Moucheron se lo había de pagar más bien antes que después.

Cuando regresamos a Santa Marta, a mediados de noviembre, nuestras bodegas estaban vacías. Yo no me preocupaba porque había dineros para aguantar hasta la próxima cosecha, mas no por ello ignoraba que lo acontecido era un gran desastre y que, por más, dejábamos a Benkos escaso de armas y sin pólvora para defender sus palenques. Había que comunicarle la desastrosa noticia cuanto antes de modo que pudiera hacerse sus cuentas y tomar sus prevenciones. Si le mandábamos aviso a través de Sando, tardaría en enterarse cinco o seis días, como poco, pues, por mucho que corriesen los emisarios, tendrían que atravesar las montañas y cruzar las ciénagas. Para nosotros, en cambio, con la *Chacona*, sólo era un día de navegación hasta Cartagena, de suerte que mi padre decidió que, en vez de esperar hasta la Navidad para pagar el tercio a Melchor, lo más conveniente sería aprovechar ahora este pretexto para dar cuenta a Benkos de lo sucedido.

Sentada frente a mi mesa-bajel, aquella noche comencé a escribir una larga carta al rey de los cimarrones en la que le daba detallada razón de todo (el rey no sabía leer, mas tenía en su palenque gentes que sí sabían), y, al alba, zarpamos rumbo a Cartagena tras despedirnos de madre y de las mozas que vinieron al puerto para vernos marchar.

No pudimos encontrar mejores vientos ni disfrutar de mejor travesía. Parecía que el mar nos empujaba con ahínco para favorecer nuestro viaje y que las treinta leguas no fueran sino sólo dos o tres, pues cerca de la medianoche de aquel mismo día, pasada la isla de Caxes, atracábamos en Cartagena. Dormimos a sueño suelto, oyendo los ruidos que llegaban de tan bulliciosa y grande ciudad: las voces de la guardia, las de los serenos, las campanillas y rezos de un cura, los gritos de los borrachos y hasta los de una reyerta que hubo en una taberna del puerto. A la mañana siguiente, después de desayunar, bajamos a tierra con el batel y, nada más desembarcar, entregué a Juanillo la carta que había escrito en casa para que se la llevara al esclavo del taller de carpintería, rogándole que le dijera que era preciso que todos los emisarios se dieran mucha prisa pues urgía hacerla llegar prestamente a Benkos. Después, tras saludar brevemente a los amigos del mercado que nos contaron algunas de las nuevas que había traído la flota desde España (como la de que se había firmado, por fin, la paz con Inglaterra), Lucas, Rodrigo, Mateo y yo acompañamos a mi señor padre hasta la hacienda de Melchor, mientras Jayuheibo, Antón, Negro Tomé y Miguel quedaban al cuidado del batel. El día era luminoso y ardiente. Mi padre se protegía la cabeza con su chambergo negro y yo con el mío rojo, mas los hombres apenas iban cubiertos con unos sudados pañuelos de tocar y, al poco, empezaron a bromear sobre robarle el quitasol por la fuerza a la primera dama con la que topáramos.

Cuando nos encontramos, por fin, a unos cien pasos de la hacienda, mi padre nos ordenó detenernos bajo la endeble sombra de unos altos cocoteros.

—Basta —declaró—. Hasta aquí me escoltaréis. El resto del camino es sólo mío.

Comenzó a alejarse de nosotros resueltamente no sin hacernos antes un gesto con las manos para que nos serenásemos. Se había apercibido de nuestro desasosiego y, si bien no había vuelto a sufrir pérdidas de juicio, todos temíamos que la menor ansia se lo tornara a quebrar.

Nos sentamos en el suelo, bajo los cocoteros, y así estuvimos durante mucho tiempo, charlando y bromeando con grande escándalo, como si nos hallásemos a bordo de la *Chacona* sin nadie que pudiera escucharnos, mas, pasada una hora y viendo que mi padre no salía, solté un reniego y me puse en pie. Como el sol me cegaba, agarré mi chambergo y me lo calé, pero ni con mejor vista advertí la figura de mi padre por ningún lado.

—Ya debería de haber salido —murmuré preocupada, sin dejar de observar el camino entre el acceso a la hacienda y el portalón de la casa.

—Cierto —afirmaron mis compadres, acudiendo a mi lado.

—Tendríamos que acercarnos y preguntar —comentó Rodrigo, protegiéndose los ojos del sol.

—¡Pues vamos! —exclamó Mateo, echando mano al pomo de su espada y empezando a caminar.

Me coloqué delante de los hombres y, con paso ligero, cruzamos los lindes de la hacienda. Los esclavos negros y los indios, encadenados unos a otros y al suelo, trabajaban sin descanso picando la piedra para extraer el mineral o las gemas o lo que fuera, y el ruido era tan grande que, de haber hablado allí, no nos hubiésemos escuchado. Por fortuna, cerca de la gran casa blanca los golpes se oían menos. En el porche, la hamaca de Melchor de Osuna se balanceaba flojamente con la caliente brisa. El portalón estaba abierto y aún no habríamos llegado ni a diez pasos de distancia, cuando un negro armado con un arcabuz y con la mecha encendida entre los dedos salió del interior y se plantó, de dos zancadas, frente a nosotros.

—¿Qué queréis? —nos dijo de malos modos.

—¿Es así como recibe tu amo a las visitas? —le increpó Lucas, colocándose a su altura para incomodarle.

—¡Apartaos! —gritó el esclavo, torvamente.

—No nos iremos hasta que sepamos dónde se halla Esteban Nevares.

—No sé de quién habláis.

—¿No sabes de quién hablo, rufián? —se indignó Lucas, poniendo los brazos en jarras y acercándose más al esclavo—. Pues hablo del mercader que hace más de una hora entró en esta casa para pagarle a tu amo el tercio de una deuda y que no ha vuelto a salir.

El negro se quedó pensativo unos instantes y, luego, dijo:

—Ése ya se fue.

—¡Mientes! —gritó Lucas.

—No miento —replicó el otro, inquieto—. El mercader que decís llegó, en efecto, hace más de una hora. Entró, estuvo un rato con mi amo en el salón, pagó el tercio y se marchó.

—Pues nosotros le hemos estado esperando fuera —dije yo, colocándome junto a Lucas—, y no le hemos visto salir. No nos hemos movido de debajo de esos cocoteros que ves allá —y los señalé—. Explícame cómo ha podido abandonar la hacienda mi padre sin que le viéramos.

—¿Y cómo queréis que lo sepa? —vociferó con grande alteración—. Fuera de esta propiedad ahora mismo o disparo como me ha ordenado mi amo.

—¡Tu amo es muy gallito! —exclamó Mateo, el espadachín humilde—. Dile de mi parte que, en lugar de esconderse detrás de un esclavo, salga y dé la cara como un hombre.

Los aires se estaban torciendo. O mucho me equivocaba o aquello iba a terminar mal. Mas, en ese punto, apareció Melchor de Osuna en la puerta de su casa. Nunca le había visto tan de cerca. Era un hombre bajo y grueso, de colgante papada cubierta por una rala barba canosa. Yo, por ser primo de los Curvo y apadrinado, me lo había figurado más joven.

—¿Qué pasa aquí? —bramó. Vestía calzones negros y camisa blanca de mangas abullonadas recogidas sobre los codos.

Sobrepasé a Lucas y al esclavo y me planté frente al de Osuna. Aquél era, si no el peor rufián de Tierra Firme, uno de los principales pretendientes al cargo. Mas, por los huesos de mi verdadero padre, que iba a costarle muy caro.

—Dicen que Esteban Nevares no ha salido de esta casa —le explicó el negro sin volverse, fijos los ojos en los de Lucas.

—¿Cómo que no? —gruñó el de Osuna con gesto adusto—. Se fue hace ya un rato.

—Eso les he dicho yo, que ya se había ido, mas no se fían.

Luché por ocultar mi angustia y mi preocupación y miré retadoramente a mi enemigo.

—Mi señor padre vino a pagaros, Melchor, y quiero que me digáis ahora mismo qué habéis hecho con él y dónde se halla.

—¡Vete al infierno, muchacho! —gritó, dándome la espalda—. Tu padre no está aquí.

Le cogí enérgicamente por uno de sus gruesos brazos y tiré de él con todas mis fuerzas. Ni se inmutó. Sin embargo, por voluntad propia, movido por la sorpresa, tornó a girarse hacia mí.

—¿Quieres que te dé un buen mojicón? —me amenazó. Mis compadres avanzaron prestamente. El esclavo detuvo a Rodrigo poniéndole el arcabuz en el pecho mas éste, de una patada contundente en la entrepierna, lo dejó gimiendo en el suelo. Melchor de Osuna me miró con desprecio.

—La última vez que mi padre vino a veros —silabeé con mi voz más grave y cargada de odio—, le dijisteis que rezabais todos los días por su muerte, que se os estaba haciendo muy larga la espera porque no contabais, cuando le ofrecisteis el contrato de arriendo, con que fuera a vivir tanto.

El de Osuna palideció. Debió de sorprenderle mucho que yo pudiera repetir con tanta exactitud las palabras por él pronunciadas meses atrás para ofender y herir a mi señor padre.

—¿Os habéis cansado de acechar su muerte? —seguí diciendo—. ¿Habéis decidido acortar el plazo para apoderaros antes de los bienes de Santa Marta?

Los ojos de Melchor de Osuna se inyectaron en sangre y todo él enrojeció hasta tal punto que tuve para mí que iba a explotar o a hacer una locura. Mis compadres estrecharon el corro para protegerme.

—¡Fuera de mi casa! —gritó y, como si hubieran estado esperando la orden, un grupo de unos veinte negros y mulatos con estacas aparecieron por todos lados y nos rodearon—. ¡Largo de aquí ahora mismo! ¡No quiero volver a veros!

Mateo desenvainó su espada, aunque flaco favor hubiera podido hacernos frente a tanto garrote. Mas, por desgracia, aquel gesto, de seguro torpe, provocó que el de Osuna perdiera los nervios y, con una señal de su mano, el pequeño ejército de pardos se abalanzó sobre nosotros. Desenvainé y tomé la daga con la izquierda, presta a defenderme de aquellos canallas y lo mismo hicieron mis compadres. Peleamos con ardor, resistimos todo cuanto pudimos, mas ellos eran muchos y nos golpeaban con grande ahínco y vehemencia, de suerte que los muchos trancazos que nos dieron nos dejaron heridos, maltrechos y quebrantados. En algún punto de la injusta batalla de cuatro contra veinte perdí el sentido y caí al suelo, sangrando por una desgarradura que me abrieron en la mollera.

No sé cuánto tiempo pasé desmayada. Cuando abrí los ojos de nuevo y torné dolorosamente en mí, vi que yacía en mitad del camino de los cañaverales, enfangada de barro y sangre seca, rodeada por mis compañeros, que parecían muertos. Me dolía tanto la cabeza que apenas podía moverme, mas tenía que descubrir si Lucas, Rodrigo y Mateo habían salido vivos de la pelea. Los tres respiraban, por fortuna, aunque tenían heridas y moretones por todo el cuerpo, las ropas desgarradas y sucias de sangre y los rostros tan deformados por los garrotazos que apenas se los reconocía. Al zarandearlos, uno tras otro, no tardaron en despertar. Como yo, estaban descalabrados, y todos tenían alguna costilla rota o alguna oreja rajada o alguna herida seria en la cabeza. ¡Maldito Melchor de Osuna y toda su parentela! ¡Malditos mil veces! ¿Dónde estaba mi padre?, me pregunté llena de congoja, echada aún en el suelo por no poderme mover.

El sol se ocultaba y la noche caería pronto. Hacía muchas horas que habíamos perdido el sentido y que los desuellacaras de Melchor nos habían echado en el camino como si fuéramos excrementos o basuras.

—¿Qué haremos ahora? —oí preguntar a Mateo con voz doliente.

—Regresar a la nao —repuse, intentando que el dolor no me hiciera hablar con tono afligido y femenino—. Necesitamos hilas, ungüento blanco, bálsamo de vino y romero... Hoy ya es muy tarde, mas en cuanto amanezca el día de mañana, acudiremos al cabildo de Cartagena para denunciar la desaparición. No podemos consentir que Melchor se libre de ésta. Estaréis conmigo en que hay que buscar a mi padre por toda Tierra Firme, si es necesario.

Un alarido sobrehumano nos sobresaltó. Era Lucas, quien, teniendo la nariz rota y desviada de su sitio, sin prevenirnos de nada había decidido recolocársela, como debe hacerse para que no quede mal para siempre.

Cuando por fin calló, oímos, a lo lejos, una voz que nos llamaba.

—¡Jayuheibo! —exclamó Rodrigo, esperanzado.

—Han venido a por nosotros —murmuró Mateo con alivio.

Resultó que Jayuheibo y el resto de los hombres, viendo que la mañana acababa, que pasaba el mediodía y que la tarde se encaminaba hacia la noche sin que hubiera noticias nuestras, habían salido de Cartagena con la intención de encontrarnos. Estaban ciertos de que nos había ocurrido algo, mas no precisamente aquello que encontraron cuando, al escucharnos gemir y decir sus nombres, echaron a correr por el camino y se allegaron hasta nosotros. Con su ayuda y, sobre todo, con la fuerte voluntad que teníamos de no pasar la noche de aquella guisa en mitad del campo, nos pusimos trabajosamente en pie y, entre ayes y lamentos, tornando a sangrar por algunas de las heridas, caminamos hasta los arrabales de Cartagena donde, al vernos, algunos indios y negros del barrio de Getsemaní acudieron en nuestro socorro y nos ofrecieron sus hombros y su fuerza para llegar hasta el puerto. Cerca de la plaza Mayor, unos alguaciles se aproximaron a nuestra lamentable comitiva y nos pidieron razones de aquella situación. Tal y como sospechaba, en cuanto oyeron el nombre de Melchor de Osuna tomaron las de Villadiego, después de amenazarnos con llevarnos a presidio si no desaparecíamos rápidamente de la ciudad.

Llegamos en muy mal estado a la *Chacona*, donde Guacoa y los grumetes se hicieron cargo de nosotros.

Aquél era el momento en el que empezaban de verdad mis problemas: ¿cómo permitir que Juanillo, Nicolasito, Antón, Negro Tomé, Miguel, Guacoa o Jayuheibo me quitaran las ropas para curarme y vendarme las heridas? Hice acopio de las pocas fuerzas que me quedaban y, con paso vacilante, cogí las hilas y todo lo demás y me dirigí a la cámara de mi padre, más grande que la mía y con un lecho más cómodo, haciendo oídos sordos a las protestas de mis compadres, que no se explicaban mi absurdo proceder. Mas Rodrigo, desde el suelo, gritó que me dejasen en paz, que yo era un hidalgo español (pues lo era desde que había sido prohijada por mi padre) y que un hidalgo jamás consiente que un pechero, un vulgar plebeyo, le vea en tales desgraciadas circunstancias y que se debían admirar mi valor y mi coraje y respetar mi noble voluntad de curarme solo.

Aquello era una mala patraña, mas, mala o buena, me había salvado del apuro. Estaba tan debilitada que no fui capaz de concluir que, detrás de ese favor de Rodrigo, se encubría el hecho de que, a todas luces, el de Soria estaba al tanto de mi secreto.

Me remedié como buenamente pude, hice todo lo que estaba en mis débiles manos para reparar los descalabros y caí sobre el lecho de mi padre en tal estado de dolor y agotamiento que, según me contaron al día siguiente, ni siquiera oí los fuertes golpes que dio Guacoa en la puerta para preguntar cómo me encontraba.

Los otros tres heridos seguían durmiendo en sus hamacas cuando abandoné la cámara del maestre por la mañana. Hacía horas que había salido el sol mas nuestros compadres, para mi disgusto, nos habían dejado descansar sin tener intención alguna de despertarnos hasta que no lo hiciéramos de nuestra cuenta. Sin embargo, yo tenía que acudir presto al cabildo de Cartagena. Tenía que denunciar la extraña y preocupante desaparición de mi señor padre para que la justicia hiciera lo que nosotros no podíamos: desafiar a Melchor y descubrir la verdad.

Desayuné un poco de pan y queso y el vino terminó de reanimarme. Caminar sola me resultaba una empresa imposible y no porque tuviera ningún hueso roto (que, venturosamente, a diferencia de los otros tres, no lo tenía), así que pedí auxilio a Jayuheibo y a Juanillo y, con ellos y con Antón y Miguel, bajé a tierra y me planté en la plaza del Mar de Cartagena. El bullicio en el muelle era grande y el mercado estaba abarrotado de gentes. Algunos comerciantes, al verme renquear y conocerme, se acercaron a preguntar. Con lágrimas en los ojos conté lo ocurrido tantas veces como me lo solicitaron y la voz corrió prestamente por el mercado. El comerciante Juan de Cuba, gran amigo de mi señor padre, cerró su puesto y se empeñó en acompañarme y, con él, otros tantos: Cristóbal Aguilera, Francisco Cerdán, Francisco de Oviedo... Casi todos con los que Rodrigo y yo habíamos hablado para saber cosas sobre los Curvo. La desaparición de mi padre y mis terribles heridas movieron sus corazones y levantaron sus iras. Me reconfortó mucho el cariño que estas buenas gentes sentían por mi señor padre.

Así pues, escoltada por tan numerosa comitiva, me alejé del puerto. Juanillo y los mulatos quedaron al cuidado del batel, y Jayuheibo, agarrándome por la cintura y sujetándome fuertemente la mano que yo pasaba sobre sus hombros, me fue llevando con mucha prevención hasta que, saliendo todos de una calleja, fuimos a dar a la plaza Mayor, donde se encontraba la hermosa residencia del gobernador, don Jerónimo de Zuazo Casasola, que acogía también el cabildo de la ciudad. Pasamos por delante de la iglesia catedral y cruzamos los soportales bajo los que se congregaban los escribanos y, cuando tuve para mí que no podría dar ni un solo paso más y que iba a caer al suelo desmayada en cualquier momento, llegamos, por fin, frente a los portalones de la residencia.

Dos arcabuceros protegían la entrada. Al ver allegarse a tanta gente, pues eran más de quince los que con nosotros venían, se cruzaron ante la puerta.

—Deseo ver al alcalde de Cartagena —dije con toda la firmeza que mi estado me permitía.

—¿Y esas gentes que os acompañan? —preguntó uno de ellos, levantándose el morrión para contemplarlos.

—Buenos amigos —repuse—. Yo vengo para presentar una demanda.

—Todos no pueden pasar —avisó el otro, que era un jovenzuelo robusto y largo de bigotes.

—Entraré yo solo, mas he menester de esta ayuda —dije, señalando a Jayuheibo.

—Sea, pero sólo el indio. Los demás, no.

Me volví hacia los comerciantes del mercado y les dije:

—Esperadme aquí, hermanos. Pronto estaré de vuelta.

Jayuheibo y yo franqueamos la entrada siguiendo las indicaciones de los soldados; atravesamos el zaguán y un enorme recibidor y salimos a una hermosa galería que miraba a levante, subimos por una escalera de piedra que iba a dar a otra galería idéntica en el primer piso y, allí, frente a nosotros, estaba la puerta del despacho del alcalde, don Alfonso de Mendoza y Carvajal, custodiada también por dos arcabuceros.

Nos pusieron mala cara cuando dije que quería presentar una demanda, como si fuera cosa de ellos atenderme y resolver mis problemas, mas, finalmente, tras esperar un largo tiempo durante el cual mis dolores se agudizaron y mis piernas fallaron varias veces, conseguí encontrarme cara a cara con Alfonso de Mendoza.

El alcalde era un hombre estirado, enjuto de carnes y de piel blanca, que lucía perilla y finos y puntiagudos bigotes. Desde detrás de su mesa, cómodamente sentado en una silla de brazos, me observó con curiosidad e impaciencia. A cada uno de sus lados, unos escribanos se afanaban sobre montañas de documentos con los útiles de escribir. El secretario, con la mesa frente a los ventanales, giró la cabeza al oírnos entrar.

—Quiero presentar una demanda —exclamé por tercera o cuarta vez.

—¿Y quién sois vos, señor? —se apresuró a preguntar el secretario.

Le entregué mi chambergo a Jayuheibo y, con la mano izquierda, descolgué de mi cuello el canuto de los documentos y se lo alargué. Tengo para mí que le molestó verse en la obligación de levantarse para cogerlos mas yo no estaba en situación de caminar hasta él. Vestía enteramente de negro salvo por las medias y las gruesas lechuguillas, que eran blancas, y lucía unos grandes lazos de seda negra en los zapatos. Con mis papeles se acercó hasta don Alfonso y le dijo:

—Se trata de Martín Nevares, excelencia, hijo legítimo del hidalgo Esteban Nevares, mercader y vecino de Santa Marta.

—¿Qué deseáis, joven? —me preguntó el alcalde.

—Quiero demandar a Melchor de Osuna, vecino de Cartagena de Indias, por haber hecho desaparecer a mi padre en la tarde de ayer.

Los escribanos pararon sus plumas, el secretario tragó saliva y don Alfonso palideció y frunció súbitamente el ceño. Un pesado silencio se hizo en el despacho.

—Paréceme que os estáis precipitando, joven —dijo, al cabo, el alcalde—. Melchor de Osuna es un reputado comerciante y hombre de negocios de esta ciudad y no podéis acusarle de nada sin testigos ni probanzas.

—Tengo testigos y tengo probanzas, excelencia —afirmé.

Otro prolongado silencio se produjo tras mis palabras. Nadie se movía.

—Sería mejor que tomarais asiento, señor Martín —dijo don Alfonso, acariciándose la perilla con preocupación—. Contadme todo lo acaecido seguidamente y como persona de entendimiento y, luego, yo decidiré si admito vuestra demanda y vuestros testigos y probanzas o si, por el contrario, os mando meter en presidio por calumniar a un hombre honrado.

¡Hombre honrado!, había dicho. Tentada estuve de echarme a reír, mas la seriedad del momento y la amenaza del presidio mantuvieron sereno mi rostro. ¡Hombre honrado, Melchor de Osuna!, aquello hubiera tenido gracia de no resultar tan lamentable.

Con mil quebrantos, permití que Jayuheibo me ayudara a sentarme en la silla que un escribano se había apresurado a disponer para mí ante la mesa del alcalde.

Expliqué lo de la deuda de mi señor padre y lo del arriendo sobre los bienes perdidos. Dije, con todo el dolor y el rencor que acumulaba en mi corazón, que mi señor padre había acudido la tarde anterior a la hacienda de Melchor a pagar el último tercio del año y que no volvió a salir de la casa; que como testigos de ello tenía a mis compadres del barco, los españoles Lucas Urbina, natural de Murcia, Mateo Quesada, de Granada, y Rodrigo de Soria, todos ellos cristianos viejos, hombres respetables y de palabra probada; que los cuatro habíamos estado frente a la hacienda todo el tiempo que mi padre había permanecido ausente y que no hubiera podido salir de allí sin que nosotros le viéramos y que no le vimos; que cuando nos allegamos hasta la casa para preguntar por él nos dijeron que ya se había marchado, algo a todas luces falso, y que, como no admitimos la mentira, veinte esclavos de Melchor, a una orden suya, nos dieron una paliza tan terrible que habíamos quedado tal y como se me podía ver a mí, pues mis compadres estaban en peores condiciones y no habían sido capaces de dejar el barco; que recuperamos el sentido cerca del anochecer y que gentes del Getsemaní nos habían ayudado a llegar hasta el muelle pues nosotros no podíamos caminar; y, por último, mencioné, con grande hostilidad, las humillantes palabras que Melchor le había lanzado a mi señor padre, cuando éste fue a pagarle en agosto:

—Le dijo que rezaba todos los días por su muerte —mascullé con desprecio—, que se le estaba haciendo muy larga la espera y que, cuando le ofreció el contrato de arriendo, no contaba con que fuera a vivir tanto —suspiré—. Por los hechos acaecidos desde ayer no he tenido tiempo de pensar, ni quiero hacerlo, en que mi padre haya podido morir a manos de Melchor, mas, aunque me aturda la angustia —murmuré con un nudo en la garganta—, no puedo dejar de preguntarme qué otra cosa que no fuera ésta hubiera podido ocurrirle a mi padre para que no volviera ayer al barco si es que, como afirmó ese canalla de Melchor, en verdad salió misteriosamente de la hacienda sin que nosotros le viéramos. Aunque hubiera perdido el juicio, excelencia, algo que ya le ha pasado en alguna otra ocasión y que podría haberle vuelto a suceder por su mucha edad, alguien habría terminado por devolvérnoslo. Mas ésta es la hora en que aún no ha regresado. Por eso estoy cierto, y le repito a vuestra merced que no quiero ni pensarlo, que algo malo le acaeció a mi señor padre en la hacienda de Melchor y esto es lo que demando: que vos, como juez y justicia de Cartagena, con todas vuestras capacidades y medios averigüéis dónde está mi señor padre y qué le ha pasado. Haceos cuenta de la mucha angustia y preocupación que siento y de la que sentirá María Chacón, su barragana, cuando la noticia llegue a Santa Marta.

Los escribanos, el secretario y el alcalde, con el rostro tan lívido cual si se estuvieran muriendo y muchas gotas de sudor cobarde perlando sus frentes, cruzaron las miradas y, luego, las bajaron. Al cabo, el alcalde levantó la cabeza y, con seriedad, se dirigió a mí, que intentaba contener mi desazón apretando fuertemente los puños.

—No termino de ver, señor mío —balbució don Alfonso, con un tono algo desafiante—, por qué Melchor de Osuna iba a causarle daño alguno a vuestro padre. ¿Acaso no estaba cobrando unos buenos caudales por el arriendo de la casa, la tienda y el barco, según me habéis contado?

Apreté los ojos con fuerza para impedir que las lágrimas brotaran de mis ojos.

—Precisamente, excelencia —repuse, con la voz rota—. Tal cual dijo ese villano, diez años de cobrar los caudales por el arriendo eran más que suficientes. Deseaba recuperar las propiedades porque, según afirmó con escasa humildad como ahora veréis, de caudales no había menester puesto que, como ganaba más que un gobernador, ya tenía muchos. Sin embargo, ni por un millón de maravedíes renunciaría a los títulos de propiedad de nuestra casa de Santa Marta, del barco y de la tienda, ya que eran bienes muebles y en raíces que, con el tiempo, aumentaban de valor.

Sabía lo que pasaba por sus cabezas en aquellos momentos. El apellido Curvo no se había pronunciado pero flotaba en el aire. Don Alfonso de Mendoza veía peligrar su posición y su puesto mas, aunque así fuera, no podía, en modo alguno, rechazar mi demanda pues la justicia del rey estaba de mi parte y, si tal hacía, el escándalo podía llegar muy lejos y yo estaba dispuesta, si mi padre no aparecía o si aparecía muerto, a llevar el asunto ante la Real Audiencia de Santa Fe de Bogotá, que era como llevarla ante el rey Felipe en persona. Y don Alfonso conocía, como las conocía yo y las conocían todos, las consecuencias que algo así podría acarrearle: si ignoraba mi demanda y no iniciaba las diligencias para investigar valederamente la desaparición de un hidalgo español, podía verse privado a perpetuidad de ejercer oficio público en todas las Indias e, incluso, ser encarcelado o desterrado para siempre del Nuevo Mundo. Mal que le pesara, estaba obligado a iniciar el proceso y a tomar declaración a los testigos de ambas partes.

—Muy bien, señor —repuso, secándose la frente con un elegante pañuelo de fina holanda—. Mis escribanos redactarán vuestra demanda y, en el entretanto, esperaréis fuera. Seréis llamado para firmarla y rubricarla en cuanto esté terminada. ¿Sabéis escribir, señor?

Torné a apretar los puños para frenar la indignación que se levantaba en mi pecho.

—¿Acaso no pensáis, don Alfonso, buscar a mi padre?

Su rostro manifestó la contrariedad que sentía. En mis veintidós años de vida no había visto una actitud tan cobarde en alguien tan principal.

—Naturalmente, señor Martín Nevares —admitió a regañadientes—. En los próximos días se organizarán batidas para buscar a vuestro padre por las inmediaciones de Cartagena.

—¡Por mi vida, excelencia —grité, indignada—, que no entiendo vuestro proceder! ¿Es que no pensáis buscarle en casa de Melchor de Osuna, donde es más probable que se encuentre? ¡Organizad esas batidas cuando no aparezca en la hacienda, mas, ahora, excelencia, es el momento de visitar a Melchor y registrar su casa!

Estoy cierta de que el alcalde quería estrangularme en aquel instante.

—Así se hará —masculló—. Enseguida mandaré un piquete de soldados para que cumplan este encargo y, al tiempo, den aviso al señor Melchor de vuestra instancia.

Me pareció advertir una velada amenaza en sus palabras, aunque quizá sólo fue mi súbito recelo ante la reacción del de Osuna. Sin mi padre, los marineros de la *Chacona* y yo éramos presa fácil para un bellaco como Melchor. Por más, la mitad de la dotación ya estaba maltrecha. En cuanto regresara a la nave, me dije, establecería un riguroso horario de guardias para prevenir los daños que me temía.

No esperé pacientemente a ser llamada para firmar y rubricar. Con pasos dolorosos y ayudada nuevamente por Jayuheibo, salí a la calle para informar de lo acaecido a los buenos y queridos amigos del mercado que estaban esperando afuera. La indignación contra el alcalde no tuvo límite. Prestamente, y pidiéndome antes permiso, se marcharon para organizar a los mercaderes y comerciantes de la plaza del Mar. No hacía falta esperar a que don Alfonso buscara el día más apropiado para batir las proximidades, dijeron. Antes del mediodía ellos mismos, y quien deseara ayudar, pondrían manos a la obra. Mi padre, o su cuerpo, añadieron con pena, aparecería antes del anochecer si es que los soldados no lo encontraban en casa de Melchor de Osuna. Alguno de ellos, muy exaltado, expresó con voz alta y clara su desconfianza acerca de tal registro, mas los otros le calmaron y se lo llevaron.

Para cuando fui llamada de nuevo al despacho del alcalde, ya se habían formado grupos de búsqueda en el muelle y, según me contaron, eran grupos numerosos pues la triste nueva había corrido prestamente por Cartagena y fueron muchos los que se sumaron a las tareas. Los comercios, tiendas, tabernas, tablajes, mancebías, pulperías y barberías cerraron las puertas, y sus propietarios, empleados y esclavos se unieron a los comerciantes del mercado. Los maestres de las naos ancladas en el puerto decidieron que sus dotaciones colaboraran también con las gentes de la ciudad y, tal y como me habían asegurado, antes del mediodía cientos de personas recorrían los arrabales de Cartagena. Los pardos e indios de los barrios pobres también se sumaron y, a media tarde, era toda la ciudad la que buscaba a mi padre, salvo los soldados, el gobernador y el alcalde, los nobles, los jueces y oficiales reales, los escribanos, el obispo y sus clérigos y, naturalmente, los grandes comerciantes como los Curvo y sus allegados.

Regresé a la *Chacona* para informar a mis compadres de todo lo acaecido en el Cabildo y de lo que estaba acaeciendo en esos momentos en las calles de Cartagena. Aquellos hombres resueltos, duros y curtidos en mil peleas no pudieron ocultar su emoción al conocer el grande aprecio que las gentes sentían por el maestre.

—¡Cuánto le gustaría a él saberlo! —exclamó Lucas, quien, por culpa de su nariz rota e hinchada, tenía un extraño hablar nasal.

Los hombres que quedaban sanos y los dos grumetes dieron palabra de encargarse de las guardias para impedir que nadie pudiera subir a la nao sin nuestro permiso. Lucas, Rodrigo y Mateo, que descansaban en sus hamacas, afirmaron que también ellos vigilarían la cubierta. Yo me retiré a la cámara de mi padre para ponerme más bálsamo en las heridas y cambiarme las hilas sucias por otras limpias. Mas, en cuanto cerré la puerta a mis espaldas, el cansancio y el ansia contenida me hicieron romper a llorar con mayor amargura que la última vez, aquel lejano día de hacía cuatro años en mi isla, ya que ahora la incertidumbre y la soledad eran más dolorosas.

Debí de quedarme dormida llorando, pues unos insistentes golpes en la puerta me despertaron al anochecer. Abrí los ojos, aturdida, y, por los dolores de mi cuerpo, reparé al punto en que no había llegado a practicarme las curas. Tampoco había comido nada desde el desayuno y, a fe mía, que necesitaba con apremio echar un bocado.

—¿Quién es? —pregunté, incorporándome en el lecho.

—Guacoa, maestre.

Sonreí. O Guacoa se había equivocado, que tal parecía, o me habían ascendido sin yo saberlo.

—Pasa.

El piloto, alto y esbelto de cuerpo como todos los indios tayronas, agachó la cabeza para cruzar el dintel.

—Ha llegado un batel con algunos soldados y algunos mercaderes, maestre. Desean veros y hablar con vuestra merced.

—¿Desde cuándo soy el maestre, Guacoa, y desde cuando usas tratamiento para hablar conmigo?

—Sois el hijo de vuestro padre, maestre. ¿Quién si no vos manda ahora en este barco?

—Deja de decir tonterías, anda —repuse, entristecida, levantándome con mucho quebrantamiento—. Ya voy.

Guacoa salió y cerró. No quería ser el maestre de la *Chacona*, no quería que pasara lo que estaba pasando. Por segunda vez en mi vida me quedaba sin padre y sólo deseaba que el de ahora volviera y que todo fuera como siempre.

Abandoné la cámara y vi, en la cubierta, a los soldados y mercaderes que me había anunciado el piloto. Bastaba con mirarlos a las caras para saber que no habían encontrado a mi padre. Los soldados eran los mismos que habían registrado la casa de Melchor. De creer sus palabras, y otro remedio no tenía, habían removido hasta las piedras más pequeñas de la hacienda sin hallar nada y el cabo del piquete me juró que habían mirado incluso en el interior de los hornos pues, a su orden, los esclavos los habían apagado para que pudieran comprobar si es que acaso había allí restos de algún cuerpo calcinado. Añadió que, tal y como mandaba la ley, Melchor de Osuna había sido hecho preso y se hallaba a esas horas en un calabozo de la cárcel pública de la ciudad, debajo de toda seguridad, donde permanecería hasta que se resolviera el caso. De cómo reaccionó Melchor ante todo esto, nada se me dijo, y yo tuve para mí que no era oportuno preguntar para no delatar mis temores, pues si sus hombres, o los hombres de sus primos, decidían tomar venganza o acabar conmigo para terminar con el proceso, no sería bueno que antes sospecharan que los estábamos esperando.

Juan de Cuba, Francisco Cerdán y Cristóbal Aguilera, que tales eran los mercaderes que habían venido en el batel con los soldados, me informaron de que tampoco ellos habían tenido más suerte. Se había buscado a mi padre por toda la tierra que había en media legua a la redonda de Cartagena, llegando hasta la ciénaga que llamaban de Tesca, sin hallar ni una señal de su paso, aunque no tenía que descorazonarme, afirmaron, pues la búsqueda no había terminado y muchas gentes habían acudido a ellos solicitando unirse a los grupos. Llegarían hasta el río Magdalena si era necesario, cuyo cauce discurría a doce leguas hacia el interior, y no descansarían hasta dar con él o con su cuerpo. Con nuevas lágrimas en los ojos, les agradecí sus encomiables esfuerzos y les rogué que compartieran nuestra cena, invitación que aceptaron gustosos, dejando que los soldados regresaran al puerto.

Al día siguiente, las numerosas batidas que partieron al alba tornaron al anochecer sin otras nuevas. Y lo mismo acaeció un día y otro más y otro. A Melchor de Osuna, por ser persona de calidad, según dijo el alcalde, le dieron cárcel decente, entendiéndose por ello que volvió a su casa y que un par de soldados le custodiaban allí para prevenir una supuesta fuga. Con la ayuda de los mercaderes, redoblé las guardias, pues sintieron los mismos temores que yo por la reacción de la familia Curvo y me expresaron su mucha preocupación así como sus deseos de colaborar en todo. Al cabo de una semana, cuando ya se vio claramente que mi padre no iba a aparecer y los rumores más insistentes decían que su cuerpo debía de encontrarse al fondo de la ciénaga de Tesca y que no saldría a la superficie hasta la próxima temporada de lluvias, mandé una misiva a madre contándole los tristes sucesos. No podía demorar más tiempo dicha tarea, por mucho que me costase. Al final de la carta, le rogaba encarecidamente que no hiciera la locura de aparecer por Cartagena porque ya me estaba encargando yo de todo lo que era menester y le pedía asimismo que me hiciera la merced de mandar algunos caudales para mi sostenimiento y el de la tripulación hasta que acabara el proceso, que no parecía ir a comenzar nunca, pues don Alfonso de Mendoza, a lo que se veía, debía de andar muy ocupado con otros asuntos más apremiantes.

Por fin, el día lunes que se contaban veintinueve del mes de noviembre, fui llamada por el alcalde para prestar declaración. Allí, en su despacho, ante Melchor de Osuna, que me miraba con un odio mortal, el licenciado que le representaba, un tal Andrés de Arellano, y un numeroso grupo de vecinos curiosos (la declaración de testimonios era pública), repetí punto por punto todo lo que dije el primer día, sin añadir ni quitar una coma, y, luego, respondí a las preguntas que se me hicieron por parte del alcalde y del licenciado. Mi declaración duró toda la mañana y, por la tarde, le tocó el turno a Melchor, quien, tras escuchar los alegatos de mi querella, negó todo lo que en ella se le imputaba y desmintió mis palabras, intentando hacerme pasar por un loco que había irrumpido en su casa con la clara intención de provocar una pelea, pues uno de mis hombres había sido el primero en desenvainar la espada obligándole a defenderse. Ante semejante sarta de falacias, me preguntaba indignada cómo era posible que, si sólo se había defendido, las heridas las lleváramos nosotros en el cuerpo y no él, mas, como no tenía ningún licenciado que me representara porque sus precios eran inalcanzables para nosotros, nadie pudo plantear tal cuestión, así que pedí a Mateo, a Rodrigo y a Lucas que, cuando tuvieran que declarar, aprovecharan cualquier ocasión para añadir esta razón a sus palabras.

Al día siguiente, martes, treinta del mes, habló Mateo por la mañana. Fue tanta la gente que acudió a escuchar los testimonios de aquella segunda jornada que la reunión tuvo que trasladarse del despacho del alcalde al gran salón de recepciones del palacio y, aun así, faltó sitio para todos. Mateo, por ser el que sacó la espada que desencadenó la pelea, fue quien más sufrió las preguntas tramposas del licenciado Arellano, que volvía a este punto una y otra vez. Nuestro compadre se admitió culpable de desenvainar el primero, mas defendió muy bien el resto de las demandas, afirmando que allí no se trataba de ver quién había provocado qué sino de aclarar qué había pasado con el maestre Esteban Nevares, que no tornó a salir de la hacienda de Melchor de Osuna tras ir a pagar el tercio. Resultaba humillante ver cómo el licenciado y el alcalde trataban de ignorar el principal delito entretanto fijaban su atención en la pelea que no había sido sino sólo una consecuencia y, por más, pretendían dar a entender que dicha pelea, siendo lo más importante según ellos, la habíamos provocado nosotros y no Melchor.

Por la tarde, Lucas, con muy buenas y justas palabras, y acariciándose las barbas con serenidad, explicó de nuevo que nosotros no nos habíamos movido del sitio donde quedamos esperando al maestre, a cien pasos de la entrada de la hacienda bajo la sombra de unos cocoteros cercanos, y que era imposible que Esteban Nevares hubiera salido sin que le viéramos. Ante la pregunta del licenciado Arellano de por qué creía él que los soldados no habían podido encontrar a mi padre en las propiedades del de Osuna, Lucas, haciendo ver que reflexionaba como el buen maestro de primeras letras que había declarado ser, afirmó que tales propiedades no se ceñían a la hacienda de Cartagena y que el acusado había dispuesto de tiempo suficiente, tras dejarnos malheridos en el camino de los cañaverales, para sacar de su casa al maestre, si vivo aunque moribundo, y hacer que le llevaran a cualquiera de los muchos establecimientos que tenía por toda Tierra Firme o, si muerto, para tirarlo como un despojo en cualquiera de las ciénagas que rodeaban la ciudad. Un murmullo de aprobación brotó de todos cuantos estábamos en el gran salón y, oyendo esto, el alcalde y el licenciado, por cambiar de argumento y darle más razones a Melchor, llamaron a declarar a su capataz, el negro que nos recibió en la puerta de la casa con un arcabuz y que tenía por nombre Manuel Angola.

Como Manuel Angola era esclavo, no le ofrecieron una silla para sentarse, por lo que se mantuvo en pie mientras habló, dando la espalda a la concurrencia. No estaba claro por qué don Alfonso de Mendoza permitía que un esclavo prestara declaración, pues no era correcto ni tampoco usual, mas las irregularidades que se estaban produciendo eran tantas que casi daba lo mismo. Manuel Angola era, por más, el único testigo que presentaba Melchor, muy seguro de ganar aquel pleito con la buena ayuda que estaba recibiendo del alcalde, a quien se le veían las intenciones de favorecer en todo cuanto pudiera al primo y apadrinado de los Curvo. El esclavo empezó a contar cómo habíamos llegado a la hacienda y todo lo que después acaeció hasta que nos dejaron en el camino de los cañaverales. Entonces, el licenciado Arellano le preguntó si, como afirmaba su amo, el mercader Esteban Nevares había salido de la hacienda después de pagar el tercio, a lo que Manuel respondió que no con una voz alta y clara que pilló por sorpresa a todos los presentes. Los vecinos que abarrotaban el salón empezaron a levantarse y a gritar, por lo que el alcalde, pálido de muerte, ordenó a los soldados que los hicieran callar. El licenciado, turbado por la respuesta del esclavo, le dijo que, como de cierto y por ser hombre ignorante, había entendido mal la pregunta, que se la volvía a hacer. Y así, tornó a demandarle, hablándole ahora como si fuera un niño, que si Esteban Nevares había salido de la hacienda tras pagar el tercio y Manuel Angola, muy tranquilo, respondió otra vez que no.

La cara de Melchor de Osuna era la cara de alguien que está viendo al demonio. La ira le encendía el rostro y cerraba los puños sobre sus rodillas con tanta fuerza que parecía estar matando a alguien. El clamor en el salón se hizo tan grande que los soldados golpearon con las picas a los más alborotadores para hacer el silencio. Don Alfonso, más muerto que vivo, le preguntó entonces al esclavo que si sabía dónde se hallaba el señor Esteban, a lo que aquél respondió que no, que saber dónde se hallaba no lo sabía pero que estaba cierto que de la casa no había salido porque él vigilaba siempre la puerta y que le había visto entrar pero no salir. El licenciado Arellano, arreglándose las lechuguillas con gesto nervioso, quiso saber si era consciente de la gravedad y el perjuicio que ocasionaba a su amo con su declaración, a lo que Manuel Angola replicó que sí, pero que él era un buen cristiano y que, después de haber consultado con el fraile que era su confesor, había decidido contar la verdad pues temía menos las iras del señor Melchor que las de Dios, que podía condenarle al fuego eterno si mentía. Su buen corazón se ganó las simpatías de los presentes, que le aplaudieron como si estuvieran viendo una representación teatral. Tras esto, el licenciado hizo hincapié en que Esteban Nevares podía haber escapado por el corral, a lo que Manuel Angola dijo también que no, que eso no era posible, porque la empalizada del corral de la casa de Melchor no sólo no tenía otra puerta que la de la cocina sino que, por más, los palos eran de más de tres varas de altura para que los esclavos de la hacienda no robaran los animales ni los otros alimentos que allí se guardaban. Finalmente, y porque no había más remedio, le preguntaron si sabía qué había sido de Esteban Nevares y qué le había ocurrido, a lo que él respondió que no, que él estaba al cuidado de la puerta y que sólo había podido escuchar algunas palabras fuertes que había gritado su amo pero nada más, que lo siguiente que había sabido sobre el asunto es que nosotros cuatro habíamos llegado a la puerta preguntando por mi padre y que él nos mintió porque así se lo había ordenado Melchor de Osuna poco antes de que apareciéramos.

Los gritos de los presentes fueron ya tan crecidos y el escándalo era tan grande que el alcalde tuvo que suspender la declaración y dejar la de Rodrigo para el día siguiente.

Sorprendidos y maravillados de lo que acababa de ocurrir, salimos a la plaza dejándonos arrastrar por los buenos amigos que daban gritos de alegría como si hubiera algo que celebrar. El interés era inmenso en toda Cartagena. Una multitud abarrotaba la plaza esperando para oír lo acontecido. En poco tiempo se supo por todas partes lo que había declarado el esclavo y cuando, por fin, pudimos llegar al puerto con nuestros pasos renqueantes, todos los dueños de las tabernas y las pulperías querían invitarnos a ron y a chicha, invitaciones que tuvimos que rechazar pues, aunque las gentes creyeran que habíamos conseguido la palma de la victoria y que Melchor de Osuna estaba condenado, nosotros no teníamos ánimo para celebrar nada con grandes fiestas y jolgorios, ni aunque fueran en nuestro honor y en honor y recuerdo de mi padre.

Subimos a bordo del batel y, en silencio, bogamos hasta la *Chacona*, oyendo cómo nos alejábamos de la algarabía de las gentes, que comprendían nuestra pena mas no estaban dispuestos a renunciar al festejo. No todos los días se ganaba una batalla contra alguien como Melchor de Osuna, que aquella noche, sin duda, regresaría al calabozo del que su calidad de persona importante le había sacado. Ahora ya no podría volver a escapar y reconozco que sentía por ello una muy grande y vengativa satisfacción.

Llegamos a la nao y todos los que estábamos en condiciones para trabajar nos enfrascamos en los quehaceres del barco. No convenía que los hombres permanecieran ociosos ni permitir que la *Chacona* se llenase de agua o se convirtiese en un nido de ratas, niguas o cucarachas. Miguel se dispuso a preparar la cena mientras el resto de los compadres y los grumetes se dividían las tareas y ponían manos a la obra. Yo, por mi parte, me encerré en la cámara de mi señor padre y, sentándome frente a su mesa, me dispuse a escribir una larga carta que, de seguro, me iba a ocupar toda la noche.

Al día siguiente, a las diez en punto de la mañana, volvíamos a estar frente a los portalones del palacio, rodeados por una multitud que no hubiera sido menor de ir a celebrarse una ejecución pública o la misa mayor de la festividad del santo patrón. Mi compadre Rodrigo debía declarar aquella mañana y, aunque poco nuevo iba a poder añadir a lo ya dicho, era su obligación comparecer y responder a las preguntas que se le hicieran. Habíamos acordado que, en el caso de que viéramos que Melchor podría escapar del castigo por alguna argucia inesperada, yo le haría una seña para que empezara a hablar de nuestro amigo Hilario Díaz, el capataz del almacén de La Borburata, y de todo cuanto él nos había contado aquella noche.

Los soldados tuvieron que apartar a los curiosos a empellones para que pudiéramos llegar hasta las sillas más cercanas a la mesa del alcalde, en la que, para sorpresa nuestra y de todos los presentes, el gobernador y capitán general, don Jerónimo de Zuazo, ocupaba hoy el lugar de cabecera. Su presencia y la de dos capitanes de infantería al mando de un gran número de gentes de armas que hacía guardia por todo el salón me hizo temer lo peor, mas decidí no dar señales de ello. A mí no se me daba nada de que el gobernador se hubiera personado en el salón aquella mañana si tal era su gusto... o, a lo menos, era lo que debía pensar para no dejarme arrastrar por el pánico. Don Jerónimo, la perfección de la gala y bizarría cortesanas, tuvo la deferencia de explicarnos amablemente que se encontraba allí debido al gran interés que el caso estaba despertando en el pueblo y que era obligación suya asistir a esta sesión por si el virrey le solicitaba un informe en algún momento. No quedé más sosegada con esta gentil explicación, mas conservé la calma y le di las gracias por acudir.

Rodrigo salió de entre el público en cuanto fue llamado y, con un gesto cortés, tomó asiento en la silla por la que ya habíamos pasado todos en los días anteriores. Empezó a hablar con comedimiento, repitiendo lo que todo el mundo sabía y echándome furtivas miradas de vez en cuando. Yo permanecía impasible. Aún teníamos tiempo. Deseaba oír las preguntas que tanto don Alfonso como el licenciado Arellano le iban a hacer. Aquella mañana no estaba presente Melchor de Osuna. En un abrir y cerrar de ojos, su calidad de persona principal había descendido a la de reo de prisión. Como poco, acabaría en galeras, si es que no lo colgaban antes en la plaza Mayor. Todo dependía de lo que ocurriera aquella mañana. En ese momento sentí que alguien me daba unos golpecitos en el hombro para llamar mi atención. Me giré y levanté la mirada. Un negro de cara sucia y con las ropas hechas pedazos se agachó para ponerse a mi altura (yo estaba sentada) y, acercándose a mi oreja, susurró:

—Para voacé.

Abrí orgullosamente la mano y cogí lo que me daba. El negro se incorporó y se desvaneció entre la gente. Rodrigo seguía contando cómo los veinte esclavos de Melchor nos habían golpeado con las estacas. Rompí el lacre del pliego y leí el documento que contenía. Al acabar, me giré hacia Juanillo, que aquel día había acudido con nosotros al cabildo en vez de quedarse en el batel, y le hice una seña con las cejas. El grumete abandonó sigilosamente el salón.

Cuando Rodrigo tornó a mirarme de reojo, le sonreí.

La ciudad quedó en suspenso tras las declaraciones, a la espera de la resolución de don Alfonso de Mendoza, quien, a no dudar, estaba viviendo los peores momentos de su vida y realizando consultas de última hora tanto con el gobernador como con los alcaldes de la Santa Hermandad,[1] los jueces y oficiales reales, el alguacil mayor, los doce regidores del cabildo e, incluso, con el obispo y sus prebendados.

1. Cuerpo militar con funciones policiales creado por los Reyes Católicos en 1476.

Por fin, el día sábado, cuando se contaban cuatro del mes de diciembre, a eso del mediodía, un gran griterío llegó hasta la *Chacona* desde el puerto. Uno tras otro fuimos apareciendo en cubierta por las dos escotillas y, asomándonos por la borda para ver qué pasaba y qué gritos eran aquéllos, descubrimos a lo lejos, en el muelle, una inmensa muchedumbre que agitaba los brazos y lanzaba sombreros al aire. Varios bateles abarrotados se dirigían hacia nuestra nao y nuestro asombro no tuvo límites cuando oímos disparos de salva de las piezas de artillería de los cercanos baluartes de Santa Catalina y San Lucas.

El corazón se me levantó en el pecho y sentí una muy grande alegría y un mayor regocijo por cuanto aquello sólo podía significar buenas y favorables noticias. Los hombres, agrupados todos en el centro de la arrufadura de la nao, sacaban medio cuerpo por la borda y gritaban preguntas a los remeros de los bateles que éstos, por estar bogando esforzadamente y entre las salvas y sus propios gritos, no llegaban a contestar. Juanillo y Nicolasito, inquietos como escurridizas lagartijas, corrían de proa a popa soltando las escalas de cuerda y cerrando los imbornales por no remojar a los que llegaban. Por fin, cuando menos de veinte varas separaban nuestro casco del primer batel, Jayuheibo lanzó un grito de alegría:

—¡Maestre!

—¿Cómo? —proferí.

¡Mi padre! ¡Mi padre venía en el batel! Alzaba el brazo y nos saludaba. Se le veía fatigado aunque feliz, con una gran sonrisa de satisfacción en la cara. ¡Mi padre, sano y salvo, entero de cuerpo y dichoso! Los grumetes chillaban y daban zapatetas en el aire, los compadres vociferaban y las salvas de artillería se repetían como si el rey en persona estuviera visitando Cartagena. No pude contenerme y empecé a gritar:

—¡Padre! ¡Padre! ¡Aquí, padre!

—¡Martín! —exclamó, avanzando hacia la proa del batel por llegar antes a nuestra nao—. ¡Martín!

Cuando los dos cascos se toparon mansamente, mi padre se abalanzó hacia la escala y, sin ayuda de nadie, empezó a subir prestamente a la *Chacona*. Parecía que tenía alas en las botas, unas botas que, por cierto, estaban destrozadas y dejaban ver los dedos de sus pies, largos de uñas. Traía las piernas al aire, sin medias ni ligas, y los calzones hechos jirones y sucios como jamás había visto yo cosa alguna. La camisa, más negra no podía estar y tan destrozada, que dejaba ver sus enjutas carnes debajo. El resto de sus prendas y su chambergo habían desaparecido y si hubiera llevado más barro y más cieno en la cara, los brazos y las piernas, le hubiéramos tenido por monumento andante. Todo él estaba lleno de heridas y de sangre, por lo que temí que viniera malherido, mas me dio tal abrazo cuando llegó hasta mí, que supe al punto que no sólo estaba bien de salud sino que, por más, se encontraba mejor que nunca, aunque oliera a piara de cerdos y a curtiduría, todo al tiempo. Sin duda, necesitaba un buen baño.

—¡Padre! —exclamé gozosa, devolviéndole el abrazo.

—¡Qué alegría! —repetía él, feliz de hallarse de nuevo en su barco.

Cuando me soltó para abrazar a los compadres, me dirigí a la borda para ayudar a Juan de Cuba y a los demás mercaderes y personas de los bateles a subir a cubierta. Todos estaban con tan grande contento y felicidad que, cuando me dieron estrujones y parabienes por la milagrosa aparición de mi señor padre, sentí una emoción tan grande que hube de hacer mucha fuerza por detener las lágrimas que a los ojos se me venían.

En el último de los bateles venía, como representante oficial del cabildo, el alguacil mayor de Cartagena, vestido con greguescos negros, herreruelo pardo y camisa de gran cuello alechugado. En cuanto tuvo ocasión, me tomó del brazo y me llevó a un aparte:

—Vuestro señor padre —dijo con voz grave— fue hecho cautivo por el peligroso cimarrón llamado Domingo Biohó. En su poder ha estado todo este tiempo.

Al ver mi cara de asombro y susto, el alguacil asintió.

—Ha corrido un grave peligro de muerte y ha sufrido muchos maltratos y violencias. Debemos dar gracias al cielo piadoso por haberlo guardado vivo y de una pieza.

—Muy cierto, señor alguacil —repuse, frunciendo el ceño con disgusto.

—No hay peor malhechor en toda Tierra Firme que el tal Domingo Biohó. Seis años lleva burlando a la justicia y, si ahora no ha matado a vuestro padre, ha sido por utilizarle para hacer llegar un mensaje a don Jerónimo de Zuazo, el gobernador de Cartagena.

—¿Un mensaje? —inquirí.

—De seguro que todo lo habéis de conocer —dijo amablemente, trazando una sonrisa cortés en su solemne rostro—, cuando esta feliz acogida termine, mas lo que yo sí puedo referiros ahora es que vuestro señor padre fue encontrado esta mañana, al despuntar el día, abandonado en un antiguo camino indígena. Un grupo de indios del pueblo de Tubará que se allegaban hasta el mercado de Cartagena oyeron unos gemidos y lamentos que venían del otro lado de unas rocas. Al punto se acercaron para ver quién era y encontraron a vuestro señor padre tendido en el suelo y sangrando aún por algunas heridas. Con gran cuidado lo subieron a una de sus mulas y lo llevaron al hospital nuevo que llaman del Espíritu Santo, donde, al decir su nombre, vuestro padre fue reconocido por los hermanos de San Juan de Dios, que mandaron aviso al cabildo. Tras tomar alimentos y bebida, se empezó a recuperar de sus dolencias, negándose a recibir más cuidados y pidiendo ser llevado ante el gobernador inmediatamente, pues tenía algo importante que decirle. Con don Jerónimo y don Alfonso, el alcalde, ha estado hasta hace menos de una hora, cuando recibió licencia para abandonar el palacio y venir al puerto. Para entonces, el rumor de su asombrosa reaparición ya estaba corriendo por toda Cartagena, de cuenta que, en la plaza Mayor, se formó este tumulto que ahora veis en el puerto.

El alguacil mayor enmudeció durante unos momentos, mirando a las gentes que, en tierra, seguían dando gritos y vítores, mas, sin duda, tenía otra cosa que decirme:

—Debéis conocer, señor —murmuró con mesura—, que Melchor de Osuna ha sido puesto en libertad.

Ahora fui yo quien asintió con la cabeza.

—Nada más justo, señor alguacil.

—Bien. Veo que sois hombre de recta conciencia. Melchor abandonó el presidio en cuanto se supo que vuestro padre estaba vivo.

—¿Y cómo salió mi padre de su casa aquel día, señor alguacil, si puedo preguntarlo?

—Vuestro padre afirma que, cuando cruzaba el zaguán para ir a buscaros, recibió un fuerte golpe en la cabeza y que perdió el sentido, no viendo a nadie ni recordando nada más a partir de ese momento. Sólo cabe pensar, en buena lógica, que fue obra de Manuel Angola, el capataz de Melchor de Osuna que prestó declaración el pasado martes, pues al salir del palacio desapareció y, aunque se entendió entonces que había sido por miedo, ahora se conjetura que o era un hombre de Domingo Biohó que trabajaba para él en la ciudad o que pagó con este oficio la huida a alguno de sus palenques. En resolución, señor Martín, que el capataz se estaba protegiendo a sí mismo cuando declaró que su señor padre no salió de la casa de Melchor.

El alguacil mayor me echó una mirada pensativa.

—Manuel Angola debió de mantener oculto y desmayado a vuestro señor padre en algún lugar de la casa hasta que pudo entregarlo a los cimarrones de Domingo.

Cerré los ojos y suspiré. Oí, en ese momento, unas fuertes carcajadas que venían del corro que formaban los compadres y amigos del mercado.

—No quiero pensar, señor alguacil, en todo lo que habrá sufrido mi padre durante estas horribles semanas. Ahora nos lo relatará, sin duda, mas ya imagino, por lo que vuestra merced me dice del golpe en la cabeza del primer día y de las heridas que tenía hoy cuando esos indios le han encontrado, que ha debido de ser un infierno para él. —Razoné que ya era hora de despedir al alguacil mayor para unirme al feliz corro de mi padre—. Os doy las gracias, señor, por allegaros hasta la nao para ponerme al tanto de lo acontecido. Decidle de mi parte a don Alfonso y al gobernador que quedo obligado con ellos por su valiosa ayuda y por todo el bien que nos han hecho.

—Les comunicaré vuestro agradecimiento.

—Decidles también que acudiré a presentarles mis respetos en cuanto baje a tierra.

—Esta misma noche podréis hacerlo, señor —agregó—. Debido al interés y a la buena disposición que ha mostrado el pueblo hacia vuestro padre, don Jerónimo de Zuazo va a organizar para hoy sábado y para mañana domingo, unos saraos populares en los que habrá danzas, esgrimas, justas poéticas, lanzadas, juegos de sortijas y de cañas...

—Don Jerónimo sabe hacer bien las cosas —declaré, con una sonrisa.

—Así es, señor Martín —concluyó el alguacil mayor, orgulloso, iniciando la inclinación de despedida—. Ya se está pregonando la noticia por toda la ciudad.

Respondí a su inclinación y le acompañé hasta la borda para ayudarle a descender por la escala. En cuanto puso el pie en el batel, me giré hacia mi señor padre y, acercándome a él, presté atención a lo que estaba contando:

—... y me dijo entonces don Jerónimo: «Señor Esteban, habéis demostrado un valor y una gallardía propios no de un hidalgo sino de un caballero español», y yo le contesté: «Así es, don Jerónimo, pues dudo mucho que cualquier otro hombre de mi edad hubiera aguantado, como yo lo he hecho, los golpes y latigazos que me propinaban todos los días esos malditos cimarrones.» «Seréis recompensado, señor Esteban», me dijo el gobernador, quien había ordenado que me pusieran cojines en la silla, a lo que yo repliqué: «No es necesario, don Jerónimo, pues ya me siento pagado por haber salido vivo de aquel oscuro y sucio palenque, donde, si no me estaban dando suplicio, me estaban mordiendo las ratas y las serpientes.»

Contuve la sonrisa aunque, por dentro, no pude dejar de figurarme a mi padre sufriendo durante aquellas dos semanas en el palenque de Benkos, comiendo como un rey, gozando de las fiestas y bailes africanos y descansando en un cómodo lecho de algún seco y bien aderezado bajareque, al cuidado de alguna joven y agraciada criada cimarrona educada para el servicio en una casa principal. Sin duda, había sufrido muchos y muy terribles suplicios.

—¿Y qué dijo el gobernador cuando le entregaste el mensaje del jefe de los cimarrones? —le preguntó, intrigado, su amigo Cristóbal Aguilera.

—¿Acaso no te has enterado, hermano? —se enfadó mi padre—. Yo no le entregué nada a don Jerónimo. Ya he dicho que me lo hicieron tomar en la memoria a verdugazos y latigazos.

—Sea —insistió el otro—. ¿Y qué dijo?

—Nada. Quedó mudo. Mas si la lengua de don Jerónimo callaba, su pensamiento, a no dudar, discurría. Sólo me pidió que repitiera el largo recado para que un escribano pudiera trasladarlo de mi entendimiento al papel con su letra estirada y ligada.

—De seguro que ahora andan todas las autoridades estudiando ese escrito —comentó Rodrigo.

—Cierto —repuso mi padre—, pues hay en él asuntos importantes.

—No sé yo cómo puede ser eso, Esteban —objetó su amigo Juan de Cuba—. ¿Qué asuntos importantes puede presentar un fugitivo de la justicia al gobernador de Cartagena? A lo que yo entiendo, el gobernador está organizando ahora mismo un ejército de soldados para atacar los palenques, pues dispone de la nueva información que tú le has dado.

—¡Calla, hermano Juan —bramó mi padre—, que hoy parece que no estás sino lastimado de los cascos! ¿De qué información hablas? ¿Quizá no he dicho bien claro que, el día que me robaron, me dieron tal golpe en la cabeza que tuve perdido el conocimiento hasta que desperté en el palenque? ¿Y no te he explicado, acaso, que, tras una buena somanta de palos que me dejó desmayado, torné en mí cargado en la mula de unos indios que me llevaban al hospital? ¿Qué información quieres que le haya dado a don Jerónimo?

—¡Calla tú, bribón! —le respondió Juan de Cuba, sonriendo—. ¡Calla y ten vergüenza de lo que has dicho! ¿No te las das de largo de entendimiento? Pues bien corto lo tienes hoy si no eres capaz de ver que, con esas mismas palabras que has pronunciado, estás diciendo que el palenque de ese maldito cimarrón, que el diablo se lleve, se halla a pocas horas de Cartagena, antes de llegar al cauce del Magdalena, y de seguro que el gobernador ha tomado buena nota de ello y que no tardará en salir con los soldados a registrar de nuevo las inmediaciones.

Tal era lo que pretendíamos, de cuenta que habíamos alejado a los soldados del lugar en el que se encontraba en verdad el palenque de Benkos.

—¿Y cuál era, padre —pregunté yo—, ese largo recado que el tal Domingo os dio para el gobernador?

—¡Ah, Martín, hijo mío, ven aquí! —exclamó él, abriéndome los brazos—. ¡Qué orgulloso estoy de ti, muchacho! ¡Qué bien has cuidado de todo!

Me cogió por los hombros y me los apretó con fuerza. Sin duda, las semanas en el palenque le habían sentado bien.

—¿Quieres saber qué decía el mensaje de ese maldito cimarrón? —me preguntó con una amplia sonrisa.

—Sí, padre —repuse, haciéndome la ignorante, mas lo cierto era que el tal mensaje lo había redactado yo misma, en Santa Marta, la noche antes de zarpar hacia Cartagena.

—Pues estate atento y escucha, que lo voy a repetir entero para ti.

—¡No, maestre, por los cielos, entero no! —suplicaron todos.

—¡Mi hijo tiene derecho a escucharlo! —se encolerizó mi padre, que estaba disfrutando, como siempre, de recibir tanta atención.

—No, no es necesario —rechacé. En verdad, era un texto largo que incluía varias peticiones y un trato—. Abrevie vuestra merced.

—Sea —admitió él, mirándome burlonamente—. Lo reduciré a lo principal. Escucha con atención. El mensaje de Domingo Biohó al gobernador decía que, tras derrotar en todas las ocasiones a los ejércitos enviados contra ellos, y puesto que estas derrotas iban a continuar de igual manera en el futuro, creía llegado el momento de ofrecer a las autoridades una ocasión para sentarse a parlamentar. El bandido le pide a don Jerónimo cartas de libertad para todos los apalencados que se hallan bajo su gobierno, sin represalias por parte de los antiguos amos, y con la autorización para poder entrar y salir de las ciudades sin sufrir acoso. Pide que sus palenques sean reconocidos como poblaciones legales y que no sufran más ataques de las tropas, que no se puedan establecer en ellos los hombres blancos y que se los deje gobernarse a su modo africano cuando éste no contravenga las leyes españolas.

—¿Quién se ha creído que es? —objetó, indignado,

Francisco Cerdán, otro de los viejos amigos de mi señor padre.

—La siguiente petición...

—¿Siguiente petición? —exclamé, sorprendida. Yo no había puesto más peticiones que las ya mencionadas. Y aún faltaba explicar el trato.

—Sí, hijo, sí —me dijo mi padre, haciéndome un leve gesto de resignación—. El maldito Domingo quiere licencia para vestir a la usanza española, como un caballero, y para poder entrar armado con espada y daga en las ciudades sin que los soldados le detengan. Asimismo, pide ser tratado por las autoridades españolas con el respeto debido a un rey.

—A fe mía, padre —dije, perpleja—, que ese tal rey tiene un orgullo más grande que la mar océana.

—¡Bien dices, muchacho! —me felicitó Juan de Cuba—. Hay que acabar pronto con él y con todos sus rufianes. Con la información que le ha dado tu padre al gobernador...

—¡Mira que eres terco, cubano! —exclamó mi señor padre.

—Desde el mismo día en que me parió mi madre —repuso el otro, muy satisfecho.

—Seguid, padre —le animé—, pues algo tendrá que ofrecer ese rey a trueco de tanta solicitud.

—En efecto, hijo, algo ofrece. Lo primero, no robar a más honestos vecinos ni autoridades ni personas principales como me robó a mí, pues dice que, si no se parlamenta, habrá otros como yo y que éstos ya no volverán vivos.

—¡Grandísimo bellaco! —soltó Cristóbal Aguilera—. ¡Hideputa! ¿Cómo se atreve? ¡Poner a la ciudad y a sus prohombres bajo amenaza! ¡Así, las grandes familias de

Cartagena, por miedo, obligarán a parlamentar al gobernador!

—Aún hay otra cosa. Propone no aceptar en sus palenques ni a un solo cimarrón más desde la fecha en que se firme el acuerdo.

—¿Y ya está? —inquirió despectivamente Cristóbal Aguilera—. ¡Pues vaya cosa!

—No es ninguna tontería, señor Cristóbal —objeté—. ¿Sabéis cuántos negros, mulatos, zambos y demás castas han huido de las ciudades de Tierra Firme en los últimos cinco años para unirse al tal Domingo Biohó? Son tantos que no se pueden contar y todos veneran y obedecen a ese que llaman su rey. Haced memoria y recordad las reuniones que hubo en Cartagena y en Panamá a principios del año pasado, el de mil y seiscientos y tres, cuando las autoridades, hostigadas por los desesperados propietarios de esclavos, quisieron resolver el conflicto utilizando cimarrones traidores que guiaban a los soldados hasta los palenques a trueco de su libertad.

—Sí, es cierto —admitió el señor Cristóbal.

—Recuerde vuestra merced que aquello acabó mal —añadí—. Los delatores aparecían muertos en las calles, con el cuello rebanado y la lengua cortada. Cada día son decenas los esclavos que huyen, cada semana son cientos y cada año son miles, señor. Cerrar los palenques a nuevos fugitivos es una oferta muy buena que será favorablemente acogida por los propietarios de esclavos.

—Tu hijo habla con mucho entendimiento, Esteban —afirmó Francisco de Oviedo.

—¡Es muy ingenioso! —concedió mi señor padre con orgullo—. ¡Nunca llegarás a saber, amigo Francisco, lo muy ingenioso que es!

CAPÍTULO VI

Todo se me ocurrió el día que mi padre sufrió aquel vá-guido de cabeza y perdió el seso y el juicio al salir de la casa de Melchor de Osuna. Éste será, pues, el relato verdadero de lo que aconteció desde aquel momento cuando, viéndole tan abatido y quebrantado, supe que no viviría otro año si no ponía presto en ejecución el juramento que me había hecho a mí misma de acabar con el de Osuna y devolverle sus bienes para que sus últimos días no fueran de aflicción y desengaño.

Corrí, pues, en busca de Rodrigo, que se hallaba recogiendo el tabaco con el resto de los compadres, y le pedí que me acompañara hasta el mercado para hablar con las gentes. No había otra manera de acabar con el de Osuna que achacándole algún delito en el que tuviera que intervenir la justicia y del que sus poderosos primos no pudieran salvarle. Mas no sólo la ley debía caer con todo su peso sobre él; también yo, con mis débiles manos, debía estar en disposición de sujetar a los Curvo de suerte que no pudieran mover un dedo en su favor pero se vieran obligados a forzarle para que nos devolviera la propiedad de la casa, la tienda y la nao. Y todo ello debía acontecer a un tiempo, de modo que no hubiera escapatoria.

Ante todo era menester conocer bien a los poderosos hermanos Curvo y tuve para mí, en aquel momento, que la mejor manera de conseguirlo era escuchando lo que las gentes del puerto tenían que decir. Cuando conocimos que nadie sabía en verdad qué traían las naos mercantes de los Curvo que llegaban desde Sevilla y que en toda ocasión disponían de las mercaderías que no traían las flotas anuales, supe que estábamos ante unos grandes, temibles y muy ricos adversarios a los que no nos sería dado tocar desde nuestra humilde posición de mercaderes de trato. Mas si ésta no era la dirección por la que debíamos avanzar, tendría que ser otra y, con personas tan fulleras, sólo cabía la trampa, el engaño y la mentira.

Por eso precisaba conocer mucho más de ellos y, así, el recuerdo de la flor villana del espejuelo, ese que un compadre pone tras las cartas del contrario para poder verlas de frente, me hizo discurrir que, colocando un espejo delante de Melchor que mostrara las debilidades más secretas de sus primos, al tiempo que ocultaba de la vista nuestros furtivos movimientos, podríamos cazarlos a todos y, teniéndolos en nuestras manos, conseguir lo que queríamos era posible.

Pensaba entonces que nadie debía conocer lo que yo andaba cavilando porque, si alguno se iba de la lengua, todo el asunto quedaría sin provecho. Éste fue el motivo por el cual me sentí tan defraudada cuando madre me pilló aquella noche a mi regreso del encuentro con Sando y con el asustadizo Francisco, el hijo bastardo de Arias, en el camino de los huertos, cerca del pequeño río Manzanares. Sin embargo, tras escucharme hablar sobre lo que nos había contado Hilario Díaz a Rodrigo y a mí en La Borburata, lo que ambos habíamos descubierto en Cartagena y lo que me había referido aquella noche en el río el pobre criado mulato, madre se mostró entusiasmada y dijo estar cierta de tener la solución en las manos, pues nadie sabía tanto sobre los Curvo como nosotras dos y que si le hacíamos llegar una misiva a la condesa viuda Beatriz de Barbolla contándole que la Ejecutoria de Hidalguía y Limpieza de Sangre de Diego Curvo era un engaño y que corría por sus venas sangre judía, la boda con la joven Josefa de Riaza no tendría lugar y los Curvo verían desvanecerse para siempre sus sueños de acceder a la nobleza y encumbrarse a una alta posición social.

Aquel pensamiento no era malo aunque había razones para suponer que tal cosa no haría que Melchor de Osuna nos devolviera nuestras propiedades y, en cambio, atraeríamos las iras de los Curvo, que, si así lo deseaban, podrían empeorar mucho nuestra situación. El asunto era tenerlos bien acorralados de cuenta que ellos no pudieran hacernos daño mas nosotros a ellos sí. Por unos instantes me quedé sin discurso en el entendimiento mas, al punto, la idea de madre viró y se trocó en mi cabeza de suerte que aquella misiva a la condesa viuda se tornó en una misiva para los propios Curvo. Y el resto fue cosa de poco: ¿qué fechoría se le podía atribuir a Melchor de Osuna para que la justicia tuviera que intervenir, prenderle, meterle en prisión y llevarle al cadalso sin que nadie pudiera impedirlo? Una muerte. ¿La de quién? La de alguien al que el de Osuna tuviera una razón para matar en un momento de furor. Mi padre tenía esa razón, una razón de caudales, la mejor para el caso.

Y así, hablando con madre aquella noche, alcancé a ver todas las costuras y puntos de la celada, con sus idas y venidas, sus dobleces y las piezas necesarias. Sin duda, el principio de todo se hallaba en el pago del tercio. Sólo restaba uno aquel año, el de diciembre, mas el desastre de la cosecha de tabaco y la negativa de Moucheron a fiarnos las armas me brindaron la ocasión propicia para poner en marcha el asunto antes de la fecha prevista: había que avisar al rey Benkos de lo acaecido, de modo que no contara con las habituales mercaderías que precisaba para defender sus palenques. Fue entonces cuando hablé con mi señor padre para contarle lo que pensaba. Me dio una rotunda negativa y me llamó loca y falta de seso, sin embargo, cuando madre le volvió a contar lo mismo, le pareció que la idea era buena y que, sin falta, debíamos aprestarnos a ello pues no habría mejor ocasión. Madre me dijo, viendo mi enfado, que si algún día me casaba entendería lo ocurrido, que tuviera paciencia hasta entonces, lo que aún me enfadó más, pues, tras probar la libertad, no estaba interesada en someter mi voluntad y mis deseos a los de un marido que me encerraría en casa para el resto de mi vida.

Así pues, inexplicablemente, padre aceptó el engaño y, la noche antes de zarpar hacia Cartagena, me encerré en mi aposento y empecé a escribir una larga misiva para el rey de los cimarrones en la que le explicaba que, a la vuelta de dos días, mi padre llegaría solo a su palenque, y que le agradecería mucho que mandara gentes a buscarlo para ayudarle a llegar en buenas condiciones pues era mayor y el camino de ciénagas y montes iba a ser muy duro para él. Ésta era la parte que más me preocupaba. Sabía que el rey enviaría sin tardanza a los más valederos de sus apalencados a recoger a mi padre, mas pensar en él solo en las ciénagas durante, a lo menos, un día o día y medio, a su edad y con las pérdidas de juicio, me angustiaba mucho. Le expliqué también a Benkos con muy buenas razones todo lo que iba a acontecer y cómo íbamos a necesitar nuevamente de su ayuda, especialmente en lo que se refería a encontrar un esclavo de Melchor que hubiera visto a mi padre entrar en la hacienda y en la casa para pagar el tercio y que, cuando llegaran las declaraciones en el cabildo, estuviera dispuesto a jurar que no lo vio salir. Sabía que Benkos no tendría dificultades para encontrar a alguien, pues no había esclavo en Tierra Firme que no diera su alma a trueco de la libertad. Resultaba fundamental que ese esclavo no sintiera reparos de perjurar ante las autoridades acudiendo a su fe cristiana y a cuantas otras cosas le resultaran necesarias porque su testimonio sería el que llevara a Melchor de Osuna hasta el cadalso.

Pasé toda la noche sentada frente a mi mesa-bajel, escribiendo, pues a la misiva añadí el pliego con las demandas y solicitudes del rey al gobernador de Cartagena. Conocía, desde tiempo ha, que el rey estaba deseando parlamentar y poner fin a aquella guerra. Su posición era fuerte pues jamás había perdido una sola batalla entretanto que los españoles las habían perdido todas. Aquello no podía continuar. De modo que, conociendo este deseo, se me ocurrió utilizar la desaparición de mi padre como pago de las muchas deudas que yo tenía contraídas con Benkos, facilitándole la negociación con el gobernador y proporcionándole una forma de inquietar a las autoridades y a las personas principales de la ciudad para que obligaran a don Jerónimo a negociar con el rey. Le mandé, muy bien escrito, el pliego con todas sus demandas y su oferta, mas no imaginé que

Benkos añadiría sus propias e increíbles licencias, como la de vestir a la española y entrar armado en las ciudades. Eso fue cosa suya.

Al amanecer, tras despedirnos afectuosamente de madre y de las mozas, que, como ocasión única que era, vinieron al puerto para decirnos adiós, zarpamos de Santa Marta sabiendo que tardaríamos mucho en volver, que habían de acontecer muchos extraordinarios sucesos antes de que regresáramos y que existía el peligro de que alguna cosa saliera mal y nuestro retorno no fuera tan feliz como deseábamos. A estas alturas, tanto los marineros como las mozas conocían la situación. Mi padre los había reunido en el gran salón mientras yo escribía en mi aposento y les había puesto al tanto de todo, pues su ayuda y su silencio nos iban a resultar muy precisos. Contarlo a las mozas fue decisión de madre, que dijo que allí todo el mundo era de la familia y que hasta los animales debían estar presentes para escuchar el propósito. Mi señor padre, como siempre, cedió.

Todo estaba muy pensado. En cuanto bajamos a tierra en Cartagena de Indias, mandé prestamente a Juanillo al taller de carpintería con la misiva y el pliego para el rey Benkos, pidiéndole que rogara al esclavo que trabajaba allí que enviase el mensaje con la mayor premura para que llegase cuanto antes a su destino. Quienes debíamos acompañar a mi padre a la hacienda de Melchor éramos los cuatro españoles de a bordo. A nosotros tendría que prestarnos atención el alcalde, que ejercía de juez en cuestiones civiles, pues, al ser españoles y cristianos, la ley no le permitía ignorar nuestra demanda ni nuestros testimonios. Así pues, Jayuheibo, Antón, Negro Tomé y Miguel quedaron a la espera, en el puerto, por si su ayuda nos era precisa para volver al barco ya que sabía de cierto que Melchor de Osuna emplearía a sus hombres para obligarnos a salir de la hacienda por la fuerza.

Cuando estuvimos a la distancia correcta, mi padre nos detuvo bajo aquellos cocoteros, el sombreado lugar en el que podríamos esperar una hora sin morir bajo los rayos del sol. Lucas, Rodrigo, Mateo y yo estábamos muy inquietos, no sabíamos cómo acabaría aquella extraña jornada ni si las cosas saldrían como esperábamos. Por más, yo tenía ante mí, pasara allí lo que pasase, un largo día de sufrimiento pensando en mi padre, que estaría caminando solo por las peligrosas montañas y las temibles ciénagas hasta que los hombres de Benkos le salieran al encuentro.

Acomodados en el suelo, bajo la sombra, recuerdo que empezamos a charlar y a reír y que, cuando vimos salir a mi señor padre de la hacienda e internarse discretamente en la selva, hicimos como que no le habíamos advertido por poder jurar luego que había sido así, y, entonces, empezamos a armar bulla y jarana, más porque no podíamos estar sosegados sabiendo lo que se avecinaba que por verdadera diversión.

Cuando la hora se cumplió, comenzamos a representar nuestros personajes. Todo debía parecer muy cierto, incluso entre nosotros, de cuenta que, convencidos de estar diciendo la verdad, nadie pudiera arrancarnos otra cosa. Entramos en la hacienda, conocimos a Manuel Angola, el esclavo que luego sería nuestro principal valedor en las declaraciones (aunque en ese momento no lo sabíamos, ni él tampoco), nos enfrentamos a Melchor, que, en efecto, debió de pensar que estábamos locos, y recibimos la paliza con estacas que nos propinaron sus hombres. Quizá hubiéramos podido evitarla si Mateo no hubiera desenvainado la espada, mas como ya contábamos con ella y Mateo, llegado el caso, resultaba bastante ingobernable en lo que a las armas se refiere, salimos de aquella aventura descalabrados y malheridos, mucho más de lo que yo me había figurado. Con todo, el asunto estaba saliendo muy bien, punto por punto a lo planeado, mas los terribles dolores que sentía en el cuerpo no me dejaron felicitarme y, sin duda, aquella noche estaba demasiado preocupada por mi padre como para vanagloriarme de mi primera victoria.

A la mañana siguiente, inquieta y magullada, principié la segunda doblez de la celada. Con ayuda de Jayuheibo, Antón, Miguel y Juanillo, bajé a tierra y comencé a pasear por el puerto y el mercado para ser vista por las gentes. Yo quería que me viesen, era preciso que algunos de nuestros amigos mercaderes, los más alborotadores a ser posible, me descubriesen en aquel lamentable estado para poder contar lo acaecido y que la voz empezara a circular por toda Cartagena. Sólo con un tumulto popular obtendría la fuerza y el escudo que necesitaba frente a los Curvo. Cuanto más ruidoso fuera el escándalo menos se atreverían a tocarnos y más obligado estaría don Alfonso, el alcalde, a brindarme su atención. Toparme con Juan de Cuba y sus compadres (Cristóbal Aguilera, Francisco Cerdán y Francisco de Oviedo) fue la mayor de las venturas. Todos eran hombres de avanzada edad, muy conocidos en Cartagena y, por sobre todas las cosas, pendencieros, camorristas y bullangueros. Justo lo que precisaba, ni más ni menos.

Entretanto mis compadres se dolían en la nao, yo presentaba mis respetos a don Alfonso de Mendoza y

Carvajal, alcalde de la ciudad y juez para las causas civiles, a quien presenté mi demanda sabiendo que intentaría echarla por tierra y tapar como fuera el engorroso asunto, pues afectaba a un rico comerciante que era, por más, primo de una de las principales familias de toda Tierra Firme y de Nueva España. Pese a ello, a mí no se me daba nada de lo que intentara hacer don Alfonso. Todo lo había previsto para que no pudiera evadirse con ningún pretexto.

Sabía que, ante el alcalde, sólo debía hablar de la desaparición de mi padre y de que tenía para mí que había muerto a manos de Melchor, facilitando razones suficientes para que se abriera obligatoriamente el proceso. Si implicaba a los Curvo con alguna alusión a los negocios sucios de su primo, éstos no dudarían en intervenir con todas sus armas y recursos, pues se trataba de su hacienda y de su riqueza, y no las iban a poner en peligro. Mi enemigo tenía que ser sólo Melchor de Osuna, de cuenta que los Curvo no se sintieran amenazados y prefirieran abandonar al primo a su suerte, dejándolo solo frente a la justicia. Debía ceñirme al asunto de mi padre y por ello lo había robustecido con motivos personales, de dineros y de propiedades, que los tenía, mas, para asegurarlo, contaba con la declaración del esclavo que aún debía aparecer. No sentía temor a este respecto, pues me fiaba de Benkos y de sus muchas capacidades.

De quien no me fiaba era del de Osuna, que acaso, si la rabia le nublaba el entendimiento, tuviera el mal pensamiento de matarnos. Por eso establecí los turnos de guardia en la *Chacona* y por eso alenté a los mercaderes y a las gentes que ya conocían la desaparición de mi padre y la paliza que nos habían dado los esclavos de Melchor a que propagasen aún más el asunto por toda la ciudad, indignando a las gentes, provocando comentarios y suposiciones, e iniciando las batidas de búsqueda del cuerpo de mi padre que el alcalde parecía remiso a organizar. Cuando tan incontable número de vecinos dejaron sus casas y cerraron sus negocios para salir al campo, empecé a sentirme más tranquila. Si Melchor intentaba agredirnos se haría a sí mismo un flaco servicio. Las batidas, por más, reforzarían la certidumbre en el asesinato pues el cuerpo de mi padre, de haber ido bien su escapada, no iba a aparecer y todos acabarían creyendo que Melchor lo había tirado al fondo de alguna ciénaga ya que, se dirían las gentes, en algún lugar tenía que estar Esteban Nevares o su cuerpo muerto.

Al cabo de una semana, mientras aún continuaban las búsquedas, mandé una carta a madre para, supuestamente, contarle lo acaecido. En realidad, era un mensaje en el que le informaba de que todo estaba saliendo bien («No vengáis a Cartagena») y de que mi padre debía de haber llegado sano y entero al palenque de Benkos («Enviad caudales para nuestro sostenimiento»), pues, realmente, su cuerpo no había aparecido. Si algo hubiera salido mal en el artificio, le habría tenido que pedir a madre que se personara en Cartagena y, si era a mi padre a quien le había acaecido algo durante su huida, le habría escrito que no nos hacían falta caudales porque íbamos a regresar pronto.

El día lunes que se contaban veintinueve del mes de noviembre dieron comienzo, por fin, las declaraciones. El momento final se acercaba. En cuanto apareciera el esclavo de Melchor prevenido por Benkos, lanzaría el disparo final.

Cuando vi a Manuel Angola acercarse al alcalde, temí que todo hubiera salido mal. No íbamos a tener la buena ventura de que el propio capataz de la finca, el que nos había impedido el paso a nosotros y nos había dicho que mi padre se había marchado de allí delante del mismísimo Melchor, fuera ahora a desdecirse y a jurar que mi padre nunca salió de aquel sitio. A fe mía que pasé más miedo que cuando el ama Dorotea me tiró a las temibles aguas del océano sin saber nadar. Por eso, al oírle decir aquel *no* tan alta y claramente cuando el licenciado Arellano le preguntó si mi padre había salido de la hacienda, se me ahuecó el corazón y no di un gran suspiro de alivio por que no se me oyera, mas me hubiera gustado.

Se me figura que Melchor de Osuna no podría dar crédito a lo que estaba oyendo y que, o bien se volvió loco en aquel instante, o bien juró matar a aquel esclavo en cuanto tuviera ocasión (que no la tuvo porque volvieron a llevarle al presidio aquel mismo día). Ahí fue cuando empecé a disfrutar de la venganza que, sin duda, y se diga lo que se diga, es felicísima y reporta una muy grande satisfacción. Toda la mezquindad y toda la codicia del de Osuna caían derrumbadas a mis pies. Ya le tenía. Ahora debía regresar a la nao con toda premura para escribir la carta que llevaba componiendo en mi cabeza desde el mismo día de nuestra llegada a Cartagena.

Con las gentes celebrando la desgracia de Melchor en las calles de la ciudad, los compadres y yo retornamos al barco y, sin cenar, me encerré en la cámara de mi padre y, sentándome frente a su mesa, tomé la pluma y el papel y empecé a redactar la que sería mi primera epístola directa y personal para Arias y Diego Curvo, el primer contacto de los muchos que luego vendrían.

Empecé ofreciendo, completos, mi gracia y mi linaje (los de Martín) y, seguidamente, les conté a los dos hermanos todo lo que sabía sobre su primo Melchor, sobre sus negocios y su forma de enriquecerse. Les dije que el mismo contrato de arriendo sobre los bienes que le había hecho a mi padre mediante engaño se lo había hecho también a otros comerciantes de Tierra Firme y mencioné los nombres que nos había dado Hilario Díaz aquella noche en La Borburata a Rodrigo y a mí. Mencioné también lo de los establecimientos de mercaderías de Melchor en Trinidad, La Borburata y Coro, y afirmé que tan extraño conocimiento de las mercaderías de las que iba a carecer Tierra Firme por no traerlas las siguientes flotas sólo podía deberse a que obtenía la información de ellos mismos, Arias y Diego, pues habían llegado hasta mis oídos los buenos matrimonios de sus dos hermanas con personas principales del gobierno de la Carrera de Indias: Juana Curvo con Luján de Coa, prior del Consulado de Sevilla, e Isabel Curvo con Jerónimo de Moncada, juez oficial y contador mayor de la Casa de Contratación de Sevilla, al frente del Tribunal de la Contaduría de la Avería.

Les dije que resultaría incuestionable para cualquier juez y tribunal de la Real Audiencia de Santa Fe del Nuevo Reino de Granada su intervención, a través de sus hermanas y cuñados, en las decisiones del Consulado de Sevilla y de la Casa de Contratación respecto al buque de las flotas y a sus mercaderías y que también sería innegable que, por obtener ellos buenos beneficios, mantenían al Nuevo Mundo siempre falto y necesitado.

Terminé mi carta informándoles de que tenía probanzas ciertas sobre la falsedad de la Ejecutoria de Hidalguía y Limpieza de Sangre de Diego Curvo, encargada por Fernando a un conocido linajudo español llamado Pedro de Salazar y Mendoza, apresado en otras ocasiones por falsificar genealogías a trueco de caudales, y que sabía que los cinco hermanos llevaban sangre judía en sus venas, por lo que el matrimonio de Diego con la joven Josefa de Riaza estaba en mis manos, prestas a enviar una nota a la condesa viuda con esta revelación.

Mi silencio, y el silencio de las gentes que, como yo, estaban en conocimiento de todo cuanto les había señalado, tenía un precio: quería que, sin dilación ni tardanza, al día siguiente mismo por la mañana, durante la declaración de Rodrigo de Soria en el cabildo, me hicieran llegar un nuevo contrato firmado por Melchor en el que se le devolvieran a mi padre la propiedad de la casa de Santa Marta, de la tienda pública y del jabeque llamado *Chacona*, anclado en ese momento en el puerto de Cartagena, y que, mediante ese nuevo contrato, cualquier deuda u obligación de mi señor padre con Melchor que pudiera aparecer en el futuro quedara al punto sin efecto. En caso de no recibirlo, Rodrigo de Soria hablaría sobre los negocios de Melchor, sus establecimientos y todo lo demás, salpicándolos a ellos, sin duda, con el barro que se levantaría en el proceso. Quería, asimismo, que nos dejaran marchar de Cartagena en buena hora y seguir con nuestra tranquila vida de mercaderes pues, al menor intento de perjudicarnos o dañarnos, todo cuando les había dicho saldría a la luz, y puesto que nuestra intención era dejarlos en paz, esperábamos lo mismo de ellos, garantizándoles que, si nos olvidaban, nosotros los olvidaríamos también.

En cuanto firmé la carta, cerca del amanecer, mandé que se botara el batel y que los hombres llevaran a Juanillo al puerto para que pudiera allegarse hasta la casa de los Curvo y entregarla en persona.

Cuando regresaron, Juanillo me relató lo mucho que le había costado que le llevaran ante Arias Curvo pues, a esas tempranas horas del día y en una casa tan lujosa y elegante, los sirvientes no estaban dispuestos a despertar al amo para ponerle delante a un sucio grumetillo negro. Tras una batalla sin cuartel, Juanillo logró su propósito y me dijo que había sido digna de ver la cara pálida y desencajada de Arias cuando leyó mi misiva. Al poco se vio tirado en la calle sin ningún miramiento y regresaron todos a la nao.

El resto ya es conocido. Entretanto Rodrigo declaraba, esperando mi señal para sacar a la luz los trapos sucios de Melchor y los Curvo, yo recibí el contrato solicitado y, con él en las manos, di por zanjado el asunto, permitiendo que terminaran con bien las declaraciones. Al salir del palacio, mandé recado al emisario de Benkos para que le dijera a mi señor padre que ya podía regresar, que todo se había conseguido. Y, así, tres días después, el imaginariamente fallecido Esteban Nevares se presentó en Cartagena a lomos de una mula y cubierto de sangre, sangre que, por otra parte, era verdaderamente suya, pues Benkos y sus hombres, por no descubrir el engaño, le dieron una pequeña y caritativa vuelta de última hora en la que incluyeron algunos mojicones, un par de latigazos suaves y dos o tres navajazos en partes poco importantes, como las islillas y las posaderas.

Pasamos la Natividad con grande trabajo para las mozas de la mancebía y, antes de que diera fin la estación seca en aquel nuevo año de mil y seiscientos y cinco, tras habernos repuesto de tantos sucesos, primero adversos y, luego, prósperos, empezó un discurso de tiempo que trajo muchas e importantes nuevas y otras cosas de igual jaez. Empezaré contando que los ataques a los palenques cesaron después de la Natividad. Don Jerónimo debió admitir, a costa de grande humillación, que sus constantes derrotas militares frente a Benkos no eran argumentos suficientes para convencer a las personas principales de Cartagena de que él podía impedir que fueran robadas y maltratadas como mi señor padre, o muertas, como amenazaba el rey de los cimarrones.

En el caluroso mes de febrero, durante una visita al palenque de Sando, Benkos, que pasaba allí unos días, nos contó que después de acabadas las fiestas, y en una zabra que había llegado a Cartagena como aviso de la Casa de Contratación de Sevilla, Melchor de Osuna había zarpado de regreso a España por mandato de sus primos. Al parecer, por lo que referían los confidentes de la casa, los Curvo no habían tenido conocimiento de los pequeños y sórdidos negocios de Melchor hasta que recibieron mi carta, enterándose entonces de que su apadrinado hacía uso a sus espaldas de la información que ellos tan secretamente obtenían y con tanto cuidado y precaución manejaban. Al saber que su pariente les había estado engañando y abusando de su confianza, le arrebataron todo menos la vida y le embarcaron a la fuerza en el aviso de la Casa de Contratación para que regresara a Sevilla con una mano delante y otra detrás. En el mismo aviso salía despachada también una carta para Fernando en la que le contaban los hechos acaecidos y le daban instrucciones para que actuara con Melchor de suerte que no pudiera volver jamás al Nuevo Mundo.

Grande fue nuestra alegría al conocer estos hechos, pero el año aún nos deparaba mayores sorpresas. Benkos nos pidió un cargamento de armas y pólvora en el mes de abril, pues desconfiaba del silencio y calma del gobernador, sospechando que se estaba preparando para un gran ataque a los palenques. Como la cosecha de tabaco no empezaba hasta mayo, supliqué a mi padre que adelantáramos la salida para regresar a mi isla.

—¿Se puede saber qué demonios se te ha perdido allí? —me preguntó con gravedad.

Yo no había dicho nada de lo que había descubierto la noche que hablé con Sando y con Francisco en las cercanías del río Manzanares, aquello de «Todo lo que tengo lo doy por un cañón pirata», así que me dispuse a contárselo a mi padre.

—¿Conserva en su memoria vuestra merced —empecé a decir— aquella vieja historia de un mercader de trato de Maracaibo que, años ha, halló unas viejas lombardas enterradas en una isla desierta dentro de las cuales descubrió un inmenso tesoro que le hizo un hombre muy rico?

Me miró desconcertado y arqueó las cejas como seña de incomprensión.

—Sí, desde luego. Eso le ocurrió a Luis Téllez, vecino de Maracaibo —repuso—. Mas no comprendo...

—¿Y sabe vuestra merced que los piratas guardan sus tesoros en viejos cañones inservibles que ocultan en las muchas islas e islotes desiertos que tenemos en estas aguas caribeñas?

—Sí, naturalmente que lo sé.

—¿Y conoce también que...?

—¡Basta! —gruñó, enfadado—. ¿Se puede saber qué intentas decirme?

—Lo lamento, padre. Sólo quería contarle que, en mi isla, en una cueva llena de murciélagos que había en la parte alta de unos acantilados, encontré, meses antes de que vuestra merced me rescatara, cuatro viejos falcones de bronce escondidos en el guano que cubría el suelo.

Los ojos de mi padre brillaron.

—¿Cuatro falcones, eh? —preguntó, interesado.

—Sí, padre.

Al punto, frunció el ceño.

—¿Qué emblemas tenían en las testeras?

—Ninguno, padre. O eran muy viejos o se los habían borrado.

—¡Martín! —exclamó, contento—. ¡Encontraste un tesoro pirata!

—Eso tengo para mí, padre.

—¿Es que, acaso, no lo viste?

—No, padre, no lo vi. Los calibres estaban tapados por el guano y yo entonces desconocía que se pudiera ocultar algo en su interior, así que no miré. Estaba muerta de frío y me había dado un golpe muy fuerte contra los falcones, que me hicieron caer, así que no me entretuve en aquella cueva, y, por más, los murciélagos empezaban a regresar. Por eso había pensado —concluí— que podríamos allegarnos hasta mi isla antes de empezar a cargar tabaco, porque, si realmente hay un tesoro, podemos comprar las armas a Moucheron en el tornaviaje sin pasar por las plantaciones.

Aunque nos hiciéramos muy ricos, no podíamos abandonar a Benkos cuando nos solicitaba ayuda porque él no nos había abandonado a nosotros cuando se la habíamos pedido.

—¡Sea! —consintió mi padre—. Mas debes saber que tengo intención de retirarme cuando regresemos del viaje. Ésta será la última vez que gobierne la *Chacona* como maestre.

No pude soltar palabra, tan sorprendida me había quedado.

—Estoy viejo, Martín —me explicó, mirando por la ventana de su despacho, que era dónde nos encontrábamos—. Pronto cumpliré sesenta y cinco años. Nadie de mi edad debería estar aún gobernando una nao. —Quedó en suspenso unos instantes y, luego, soltó una carcajada—. ¡De cierto que no queda casi nadie de mi edad! En fin, lo que quería decirte, muchacho, es que voy a dejarte a cargo de la *Chacona*. Quiero que tú seas su maestre.

—¿Maestre de la *Chacona*... yo? —balbucí.

—¿Por qué no? Eres mi hijo legítimo, buen navegante, buen mercader, listo como bien has demostrado y honrado hasta donde nadie sabrá nunca. ¿Qué más virtudes necesitas?

Callé, pensativa.

—Toda virtud, padre, en exceso se vuelve vicio. ¿Cuándo se ha visto a una mujer gobernando una nao?

Mi padre se enfadó.

—¿Es que no puedes olvidarte de aquella pobre Catalina Solís? —exclamó, dando un puñetazo en la mesa. Resopló y volvió a mirar por la ventana—. ¿No puedes, verdad?

—No, padre, no puedo. Soy Catalina Solís y, aunque el nombre nada me importe, soy una mujer, y eso no lo cambiarán estas ropas ni tampoco los documentos que me convierten en vuestro hijo Martín. Soy mujer, padre, y soy Catalina, aunque vista como un mozo.

Ambos guardamos silencio, entristecidos. Él quería un hijo y yo me obstinaba en declararme dueña.

—¡Sea! —gritó, dando otro puñetazo—. ¡Quédate con Catalina! Mas debes conocer que sí que ha habido otras mujeres gobernando naves y, por más, mujeres almirantas que gobernaban flotas de Su Majestad.

Yo abrí la boca, sorprendida.

—¿No has oído hablar de doña Isabel Barreto, la esposa de don Álvaro de Mendaña, el descubridor de las Salomón, que fuera Almiranta y Adelantada de las Islas de la Mar Océana? Hace diez años, tras la muerte de don Álvaro en plena travesía, se vistió con las ropas de su señor esposo, tomó sus armas, y dirigió los galeones hasta llegar a las Filipinas, poniéndose, incluso, a la caña del timón durante una gran tormenta. ¿Qué me dices, eh? Y no es la única, te lo aseguro. Hay más, aunque menos conocidas y famosas por ser de más baja condición.

¿Así pues no era yo la única en tan insensato estado? ¡Almiranta de las naos de Su Majestad! ¡Eso quería ser yo! Acababa de escoger mi ejercicio y se lo hice saber a mi padre, que ahora fue quien abrió mucho la boca, admirado.

—¿Y no te conformarías, por el momento, con ser el maestre de la *Chacona*?

—Por supuesto, padre.

—¡Sea! —exclamó, contento, levantándose para darme un abrazo.

Zarpamos a la semana siguiente y, tras quince días de navegación, Guacoa hizo que la *Chacona* atravesara la cadena de arrecifes que bordeaba las tranquilas aguas color turquesa de mi isla. Anclamos la nao y, con el batel, llegamos a la playa. Ya no guardaba en la memoria casi nada de mi pasado. Mi vida había comenzado el día que arribé a esa playa blanca a bordo de mi mesa-bajel, de cuenta que, al regresar ahora a aquel lugar, sentía que estaba volviendo a casa, que aquella isla era mi hogar perdido.

Ascendimos la colina y llegamos hasta la laguna más cercana al lugar donde había estado mi bajareque. Jayuheibo, el antiguo pescador de ostras perlíferas de Cubagua, se ofreció a acompañarme. Tengo para mí que dudaba de mi capacidad para retener el aire en los pulmones mucho tiempo, mas le demostré de largo que se equivocaba. Ambos llegamos a la cueva de los murciélagos al mismo tiempo y él, con toda su maestría, resoplaba más que yo.

Allí estaban los falcones pedreros. Jayuheibo, con una vara, espantó a los repugnantes animalejos que colgaban del techo entretanto yo sacaba el guano que taponaba el calibre de los falcones. No podía creer lo que veía cuando vacié el primero de ellos. Y menos cuando vacié el segundo. Y qué decir cuando el tercero y el cuarto quedaron limpios: zarcillos de oro con perlas, collares de granates, relicarios, cuentas de oro, brazaletes de corales, soguillas, alfileres y sortijas de oro y esmeraldas, una hermosa cubertería de oro con incrustaciones de gemas, cincuenta o sesenta barras de oro y unos diez o quince lingotes de plata, más doblones y ducados de curso legal rellenando los huecos. Una verdadera fortuna. Maestre o almiranta, iba a ser muy rica durante el resto de mi vida pues mi señor padre ya me había advertido, y había advertido a los compadres, que todo lo que se encontrara en los falcones, si algo había, era sólo mío.

Jayuheibo y yo recorrimos el túnel inundado entre la cueva y la laguna en repetidas ocasiones hasta que sacamos todo el tesoro. Los demás, aunque lo intentaron, no aguantaron sin respirar el tiempo necesario para completar un viaje.

Todo se dejó en mi cámara de la *Chacona* por expreso deseo de mi padre, que quería demostrar con ello que nada se quedaban ni él ni los hombres, mas yo repartí los doblones entre todos dando a cada uno según su oficio, para que no hubiera disputas.

Lloré al partir de mi isla como lloré el día que abandoné Sevilla y España, cierta de no regresar jamás. Mucho me había dado aquel pedazo de tierra perdido en el océano, pues no sólo me había hecho fuerte e independiente sino que me había convertido en una de las personas más ricas de Tierra Firme y de todo el Nuevo Mundo. Con los brazos apoyados en la borda, vi menguarse mi isla en la distancia hasta que desapareció. La alegría en la *Chacona* era evidente y los compadres estaban deseando llegar al primer puerto importante para gastarse sus doblones como se les antojase. Se sentían tan ricos como yo, mas, a lo que parecía, estaban deseando dejar de serlo disfrutando de jaranas y distracciones.

Sin embargo, otra sorpresa nos aguardaba a mi padre y a mí en Margarita. Como siempre que atracábamos allí, yo permanecía en el barco para evitar el peligro de topar con mi señor tío, de modo que me quedé sola al cuidado de la nao mientras los demás bajaban a divertirse. Cerca de la medianoche, el batel con los hombres regresó. Casi todos venían borrachos y con los bolsillos vacíos, aunque felices y satisfechos. Mi señor padre, nada más subir a bordo, me cogió por un brazo y me arrastró hasta su cámara.

—¡Domingo Rodríguez ha muerto! —exclamó nada más cerrar la puerta.

Yo, medio dormida, no conseguía entenderle.

—¡Eres viuda, mujer! ¿No me oyes? Tu desgraciado marido ha muerto.

Resultó que durante la epidemia de viruelas que asoló la isla el año anterior, cuando nosotros mareábamos buscando inútilmente tabaco por todo el Caribe, mi señor esposo, Domingo Rodríguez, había muerto de esta pestilencia. Y no fue el único de mi familia que murió, pues mi señor tío Hernando había también fallecido así como su socio y suegro mío, Pedro Rodríguez.

—¡Eres la heredera de tu tío y de tu esposo! —me explicó mi padre—. Desde el pasado mes de septiembre, la propiedad de la latonería es tuya. Me han contado que no hay ningún familiar vivo y que van a proceder a rematarla este año. ¿Qué quieres hacer?

Aturdida aún por el sueño y la nueva, intentaba despertar mi entendimiento para responder a mi padre. Si volvía a ser Catalina podría quedarme con el negocio de la latonería de Margarita y llevar una vida pacífica y normal como viuda rica y propietaria; si continuaba siendo Martín, podría ser maestre y almirante. Difícil decisión a esas horas de la noche. Quizá fue el letargo porque, en aquellos momentos, me pareció muy prudente el pensamiento de seguir siendo los dos. ¿Por qué no llevar ambas vidas? Podía hacerlo. Tenía documentos de Catalina y documentos de Martín. ¿Por qué no usar mis dos identidades?

—¿Estás loco? —me reprendió mi padre cuando se lo conté.

—¿No fue vuestra merced quien me dio la idea cuando me prohijó hace dos años?

—¿Yo? —se asombró.

—Recuerde, padre, que poseo una muy buena memoria. El día que me anunció que me había prohijado, antes de salir de mi aposento, se rió de buena gana y expresó su deseo de estar vivo para verme utilizar mis dos personalidades según mi voluntad y conveniencia. ¿Digo o no digo verdad?

—Dices verdad —gruñó, mas se le veía en el rostro que aquel doble juego le tentaba y le divertía. A mí también. ¿Por qué no?

Pasamos por Punta Araya sin conocer que aquélla sería la última vez que veríamos a los flamencos, pues antes de que acabara el año, en el mes de noviembre, varios galeones de guerra de la conocida como Armada del Mar Océano atacaron Araya por sorpresa, expulsaron de allí a los trabajadores de las salinas, a los mercaderes, a las urcas y pusieron fin a la vida de Moucheron y a las de otros muchos. El de Middelburg fue ejecutado por corsario y nosotros, desde luego, no opinábamos que hubiera sido otra cosa. ¿Lamentamos su muerte? No lo sé, paréceme que no, aunque aquel último día, entretanto cargábamos las armas en la nao, estábamos muy lejos de figurarnos lo que le iba a acontecer. A Moucheron no le hizo ninguna gracia que no le lleváramos tabaco y estaba presto a gritarnos como un loco cuando, para su sorpresa, le mostramos las joyas con las que pensábamos pagarle. El brillo del oro y de las piedras preciosas zanjó sus protestas y selló su boca.

Poco después, entregamos aquellas armas a Benkos en la desembocadura del gran río Magdalena, en la zona de las barrancas, aunque fue Sando quien nos dio la bienvenida cuando desembarcamos. El rey no estaba y era la primera vez.

—Mi padre se encuentra reunido secretamente con don Jerónimo de Zuazo, el gobernador de Cartagena —nos anunció Sando, con evidente orgullo.

—¿El rey ha entrado en Cartagena? —me sorprendí.

—No, hermano Martín, mi padre no es tonto. Ésta es la segunda ocasión en que se encuentra con don Jerónimo en un claro de la selva, entre las ciénagas, señalado y elegido por ambos para su mutua seguridad.

—De modo —comentó mi señor padre, complacido— que tenemos acuerdo.

—Así parece, señor Esteban. Aunque hay un punto en el que no se ponen de acuerdo. El gobernador está dispuesto a transigir con todo menos con el tratamiento de rey que exige mi padre. Dice que no puede haber dos reyes en el mismo territorio y que Felipe el Tercero es el único rey de estas tierras. Si mi padre renuncia, cosa que él no quiere hacer en modo alguno, la paz para los palenques está asegurada.

—¿Tanto le importa renunciar al título de rey a trueco de la vida de sus apalencados? —me sorprendí.

Sando puso una expresión de aburrimiento en el rostro.

—¡Era rey en África, hermano! —exclamó, soltando un bufido de hartazgo y ojeando a sus hombres, que metían las armas y la pólvora en las canoas con las que, luego, remontaban el Magdalena—. Desde que nací no le he oído hablar de otra cosa. Nadie le podría convencer para que abdicara. Con todo, tengo para mí que lo está considerando. Espero que lo haga.

—Yo también —repuso mi padre.

El día lunes que se contaban dieciocho del mes de julio de mil y seiscientos y cinco, Benkos Biohó, también conocido como Domingo Biohó, el rey de los cimarrones de Tierra Firme, entró libremente en Cartagena de Indias para firmar el acuerdo de paz que, entre otras cosas, legalizaba los palenques, otorgaba la libertad a todos los esclavos huidos y, lo más importante, le permitía a él vestir como noble español. Renunció a su título de rey mas nunca al respeto que estaba seguro de merecer como soberano ni a la dignidad que le acompañaba.

Tras algunas semanas de reposo y cavilaciones en Santa Marta, durante las cuales sostuve largas conversaciones con mi padre y también con madre, que no hubiera dejado escapar la ocasión de intervenir en tan importante resolución, y tras muchos paseos por el Manzanares y muchas horas de lecturas, me determiné a seguir con la decisión tomada en Margarita: sería Martín y sería Catalina, ambos dos. Reclamaría la propiedad de la latonería (diciendo que había pasado muchos años en una isla desierta y que acababa de ser rescatada por un mercader de trato), me instalaría allí, en la casa de mi fallecido tío, que arreglaría, y sería Catalina Solís, una joven viuda de veintitrés años. Cuando visitara Santa Marta o mareara con la *Chacona* y su tripulación, sería Martín Nevares, un muchacho despierto cercano a los veinte. Las razones para tamaña osadía fueron muchas, mas las que pesaron decisivamente en mi ánimo fueron dos: la primera, que mi señor padre deseaba conservar a su hijo Martín, su heredero, el continuador de su noble linaje, el que se haría cargo de sus queridas propiedades y de su amplia familia cuando él desapareciera. Sólo así podría morir en paz, me dijo. La segunda, que yo deseaba recuperarme a mí misma, que necesitaba dejar de ser Martín, aunque sólo fuera de vez en cuando, para sentirme Catalina, para sentirme mujer y para sentirme bien, aunque odiara la humillante esclavitud a la que estábamos sometidas las mujeres. Necesitaba la libertad de Martín y la esencia de Catalina. De algún modo que no se me alcanzaba me había convertido en los dos.

Lo que nunca llegué a figurarme en aquel año de mil y seiscientos y cinco, cuando abracé tal decisión, fue que tanto Martín como Catalina llegarían a ser grandemente conocidos por todo el ancho Nuevo Mundo, que Martín gobernaría un navío pirata y que Catalina... En fin, no, no diré más, que ésa ya es otra historia.

Deja tus comentarios en
www.matildeasensi.net

No te pierdas la continuación de la gran saga del Siglo de Oro español:

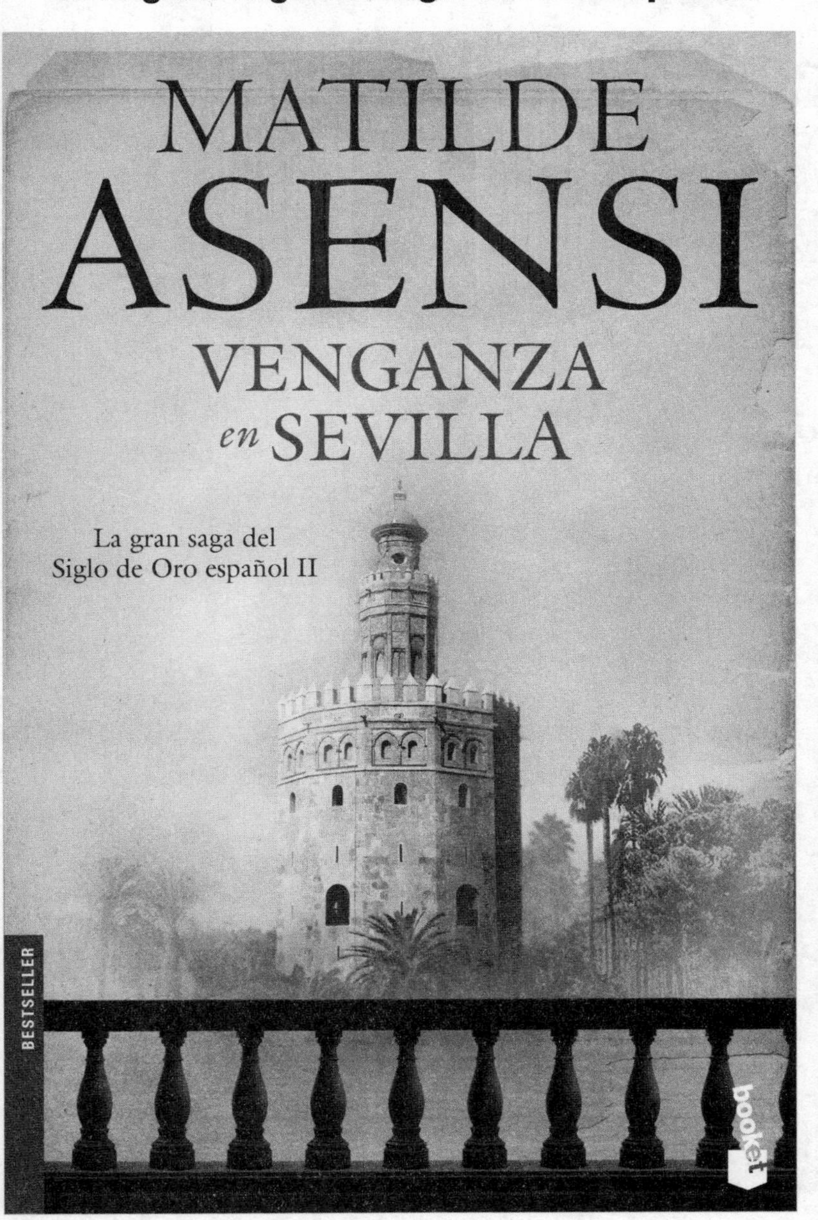